Falla sans Espagne

1876-1900

Dans un paisible foyer bourgeois de Cadix, naît, le 23 novembre 1876, Manuel Maria de Falla y Matheu, quatrième enfant de la famille, qui sera plus tard Don Manuel de Falla, le plus grand musicien espagnol. Son père, commerçant, est originaire de Valence et sa mère est catalane : souche doublement méditerranéenne.

Falla tout entier est en puissance dans son tempérament d'enfant recueilli et silencieux, un peu sauvage, parfois absent de la réalité.

« Manolito » ne fut en aucune manière ce que l'on appelle un enfant précoce. Dans ce petit garçon de sept ans qui se plaisait à disparaître de temps en temps et à s'enfermer dans sa chambre où il gouvernait une cité imaginaire (qu'il appelait *Colomb*), personne n'eût deviné de dispositions particulières. Mais le goût de créer, la joie de disposer et d'ordonner dans l'abstrait un certain nombre d'éléments, étaient déjà présents dans ces traits instinctifs d'une imagination souvent débordante.

Ces retraites volontaires et les nombreuses préoccupations que lui donnaient ses « vassaux » de *Colomb* finirent proba-

3

Falla à sept ans

blement par alarmer sa mère. Un jour, on découvrit son invention et l'énorme tas de paperasses que cette administration nécessitait. Le résultat fut une visite au médecin qui obligea l'enfant à abandonner tout cela.

C'est justement pour les citoyens de *Colomb* que Manolito, jeune écolier, exprime ses premières idées dans de petites œuvres dramatiques ou musicales. Écolier sans école, d'ailleurs, puisque, à cause de sa santé délicate, ses parents l'avaient doté d'un instituteur, lui et sa sœur Maria del Carmen.

Vers l'âge de huit ans, Manolo quitte sa maison natale pour aller habiter avec sa famille à quelque cent mètres de là. Après le déménagement, quelqu'un se met à jouer sur le vieux piano les airs que les déménageurs galiciens avaient chantés pour se donner du courage. La mère, étonnée, se demande qui peut bien être le pianiste : c'est Manolito qui attaque vigoureusement la « gallegada » entendue un moment avant. Devant cette prouesse, sa mère, pianiste amateur elle-même, décide de lui donner des leçons.

C'était chose bien naturelle dans une famille où la musique avait sa place : opéras célèbres que le grand-père débitait sur un vieil harmonium, et surtout, œuvres de Beethoven et de Chopin que la mère déchiffrait souvent au piano. Le père de Manolo, de son côté, était fervent d'opéra italien.

Les premiers contacts de l'enfant avec la musique furent donc des opéras (parmi ceux-ci, « Lucia » de Donizzetti) et un concert symphonique au Museo de Cadix qui fit une forte impression sur le jeune pianiste.

Peu de temps après avoir commencé ses leçons, la mère de Manolo se fait remplacer par une étudiante en musique, Eloisa Galluzzo, qui ne tarde pas à abandonner son élève pour entrer au couvent.

Alexandre Odera vient ensuite pour lui donner des rudiments d'harmonie et, après sa mort, Enrique Broca continue cette éducation en y ajoutant quelques notions de contrepoint. Tous ces amateurs dont la science était probablement très limitée se succèdent rapidement auprès de Manolito pour lui donner les éléments de base jusqu'à ses débuts dans la composition : cette première manifestation – il était encore tout enfant – est une pièce pour piano, un numéro de suite, un menuet peut-être, composée sur un modèle trouvé dans une revue.

Aucune des disciplines ne fut approfondie ni surtout systématiquement et assez longuement étudiée. Mais cela n'empêche pas Falla de présenter au public ses premiers essais.

Il s'était fait connaître comme pianiste en diverses occasions, et, en particulier, en jouant à quatre mains avec sa mère. Le jeune compositeur était donc préparé pour un premier concert qu'il donne vers douze ans. C'est de cette époque que datent les relations de la famille Falla avec un sympathique personnage de son histoire, M. Viniegra, commerçant, violoncelliste à ses heures et collectionneur d'instruments,

Granados et Ricardo Viñes

Saint-Saëns « en vacances ».

chez qui Saint-Saëns au retour de ses vacances faisait halte. Viniegra, l'amateur de musique par excellence, devient l'ange gardien de ce jeune talent que le hasard a mis sur son chemin. Il encourage Falla à composer et réunit régulièrement chez lui quelques mélomanes instrumentistes pour interpréter les premières œuvres de Manolo. Sans doute est-ce à la confiance de son protecteur que l'adolescent timide dut de pouvoir affirmer sa vocation et mettre au point, le cœur plus serein, ses premières trouvailles.

Il ne reste rien que les titres de ces compositions dont les partitions ont été perdues. Nous savons qu'elles comptaient, entre autres, un Quatuor avec piano comportant deux mouvements (Andante et Scherzo), une mélodie pour violoncelle et piano (intitulée *Lied* !) et un Quintette pour violon, alto, violoncelle, flûte et piano inspiré d'un chant du poème de Mistral, *Mireio*.

Puis, en 1890, c'est une musique romantique marquée par l'interprétation fréquente de Chopin. On y verra la manifestation d'une tendance précise et déjà exprimée : le goût pour la musique de chambre, familière depuis l'enfance, et l'amour de la mer, tel que le révèlent le texte qui l'inspire et cette prédilection enfantine pour Christophe Colomb. Préfiguration de *L'Atlantide* de la fin de sa vie que, dans son adolescence, il avait peut-être souvent cru deviner, le long de la côte atlantique, près du port de Cadix.

Cette adolescence sonne aussi l'heure des études plus sérieuses. Falla fait alors de fréquents voyages à Madrid où il prend régulièrement des leçons de piano avec son premier vrai professeur, José Trago, l'un des meilleurs exécutants espagnols de l'époque.

En même temps, le jeune Manuel, déjà initié à la compréhension de la musique, débrouille patiemment plusieurs partitions de Wagner qu'une mélomane allemande avait apportées à Cadix. C'est donc à quinze ans qu'il entreprend la transcription de partitions, travail fondamental dans la formation de tous les créateurs. Hors de tout principe, l'analyse attentive et la transcription immédiate des œuvres contemporaines constituent une excellente méthode que l'on a toujours suivie. C'est une nécessité naturelle et elle se justifie doublement chez un autodidacte.

Mais, tout créateur est un autodidacte, dans la mesure où il doit tirer profit des expériences passées et contemporaines et les assimiler pour trouver son propre langage. Processus que personne ne peut enseigner mais dont toute la vie créatrice dépend. C'est l'induction après la déduction.

Pendant cette première période, Falla analysait *avec une curiosité avide toute œuvre qui présentait un réel intérêt (pour moi) à cause d'une secrète affinité avec certaines aspirations cachées dont la réalisation (me) paraissait toutefois difficilement possible.* Son attention s'attache surtout aux modulations et au traitement de l'orchestre chez Wagner. Manuel s'arrête, admiratif.

Après cinq années de petits concerts plus ou moins provinciaux et de cours qu'il suit après un long et fatigant voyage, Manuel s'établit à Madrid avec sa famille. Le jeune homme a alors la possibilité d'entrer en relation avec un milieu musical plus évolué et d'approfondir ses connaissances.

8

Falla a vingt ans. Il commence à laisser pousser cette épaisse moustache qui est comme l'emblème de sa première musique. Vingt ans : l'âge idéal pour mettre au point la technique et découvrir au piano les grandes œuvres classiques. Arrivé à Madrid, il suit jusqu'en 1898 les cours du Conservatoire Royal où son maître est professeur titulaire.

José Trago est l'une des figures les plus sympathiques de son milieu. Il devait lutter contre une timidité et un trac implacables, et il avait vite abandonné la carrière de pianiste pour se consacrer uniquement à l'enseignement. Tout son talent ne pouvait lui ôter sa peur du public en face de qui il n'osait pas jouer de mémoire : à côté de lui se tenait toujours un élève, les œuvres du programme sous le bras, prêt à le secourir.

Il arrivait habituellement au Conservatoire avant l'heure du cours et jouait seul un moment. Les élèves se pressaient en silence derrière la porte. Il cessait de jouer dès qu'il sentait que quelqu'un l'écoutait et les jeunes gens se dispersaient.

Trago possédait une excellente technique héritée de Georges Mathias, professeur au Conservatoire de Paris, qui avait été l'élève de Chopin. Son influence fut décisive dans la formation musicale et plus précisément pianistique de Falla. C'est au cours de ces deux années que celui-ci devient pianiste, accomplissant un travail exceptionnel, équivalant à sept années d'études, grâce à une dispense accordée par le directeur du Conservatoire.

L'intensité de cet apprentissage révèle chez Falla une puissance de travail qui sera constante. A la fin de ses études, son effort lui valut un premier prix et un concert au Conservatoire.

Vingt ans : âge propice aussi pour improviser chaque jour au piano. Aux compositions enfantines font suite les balbutiements de l'adolescence – moins maladroits – qu'il livre à son instrument. Un minimum de technique accompagne l'expression qui se cherche encore. Il est impossible de déterminer avec exactitude l'ordre chronologique de ces pièces, *Valse-*

Caprice, Nocturne, Sérénade andalouse. C'est sans importance. Il se peut qu'elles n'aient pas été composées la même année mais elles l'ont toutes été pendant les deux ans d'étude au Conservatoire. Leur manque d'intérêt les fit mettre au rebut un peu plus tard par Falla et peut-être n'ont-elles pas été jouées en public. Cependant, en dépit de cette décision, comme elles n'avaient pas été régulièrement enregistrées à la Société des Auteurs, il dut se résigner, sans pouvoir protester, à les voir réimprimer aux Etats-Unis et en Espagne quand les « marchands de papier » purent tirer parti de son nom.

Ces pièces semblent bien modestes. Mais elles sont les premières que Falla ait menées à bien et elles mettent en lumière la technique et l'esthétique originelles de l'œuvre entier de Falla. Elles représentent les principes du créateur avant tout contact avec une influence quelconque.

Il peut être intéressant de souligner ce que nous entendons par « principe » et « influence » : dans le cas de Ravel, par exemple, il faut chercher le principe chez Fauré, Chabrier et Liszt et l'influence dans ses relations, plus tardives, avec Debussy et Stravinsky. Le premier donne un point de départ, une filiation, indique les rapports avec le passé proche ; il en réapparaîtra toujours quelque trait dans le fond de l'œuvre. L'autre représente les radiations venant du milieu environnant. Qu'est-ce que l'influence, en fin de compte, sinon l'assimilation de certaines ressemblances, l'affirmation de dénominateurs communs ? Au-delà, c'est l'imitation qui, sauf si elle est expressément voulue, dans des cas exceptionnels, n'est pas une attitude créatrice.

Des trois pièces de cette époque, une seule, la *Sérénade andalouse* a l'avantage de nous renseigner sur les principes créateurs et d'appeler quelques remarques. *Sérénade andalouse :* volonté évidente de régionalisme dès le titre. L'atmosphère fait nettement penser à Albeniz et en particulier à la « Suite espagnole », donnée pour la première fois à Madrid en 1889, à la fin de ses quatre années de séjour dans la capitale.

Les quatre éléments intéressants de cette *Sérénade* se trouvent déjà développés chez le musicien catalan :

1. La gamme utilisée dans le *Nocturne*, que l'on pourrait appeler gamme andalouse

nous donne la cadence fondamentale de la musique andalouse. Elle tend à se présenter sous sa forme descendante – différente de l'ascendante – comme c'est le cas pour beaucoup de gammes populaires. Elle est donnée pour la première fois toute fragmentée en motifs qui ornent la descente :

Elle peut prendre divers aspects, suivant l'inversion des accords. La plupart du temps, elle repose sur la descente mélodique d'un demi ton diatonique :

C'est là, dans un mode que nous pouvons appeler mineur – bien que le terme soit impropre – un accord majeur de tonique *(mi – sol dièze – si* dans cet exemple) qui donne une impression de dominante dans un passage qui approche du mineur habituel. La confusion vient de ce que nous sommes accoutumés, en ton mineur, à un accord de tonique mineur.

Bien qu'intégrée ici dans le système tonal de la théorie classico-romantique, la mélodie basée sur cette gamme est un premier appel à l'exotisme.

2. La pédale presque permanente qui soutient plusieurs périodes de l'harmonie.

3. Une interruption dans l'enchaînement prévu des accords. Ceci s'apparente au procédé formel que, chez Berlioz, Chailley appelle « zone indéterminée » de la tonalité et que nous pourrions appeler « suspension de la tonalité » : elle consiste à profiter du défaut de fonction tonale d'accords augmentés ou d'agrégations accidentelles, pour empêcher une impression tonale claire.

4. Les modulations par enharmonie, caractéristiques de la musique populaire andalouse.

A ces quatre procédés, nous pourrions en ajouter d'autres, hérités de Chopin, ceux-là : détails d'expression (par exemple, le très caractéristique « con abbandono ») et certaines libertés sur le plan tonal, communes à Chopin et à Liszt. Les formules rythmiques, très ordinaires, fréquentes dans la « zarzuela », sont celles de la rue, entrées par la fenêtre de Falla.

Le musicien peu avisé s'en remet à elles comme à une garantie de couleur locale authentique.

Résumons cette recherche des principes. Pour l'esthétique, ils sont entièrement romantiques, comme ceux de Stravinsky (« L'Oiseau de feu »), de Debussy (« Suite bergamasque ») de Schœnberg lui-même (« La nuit transfigurée »), polarisés cependant sur l'aspect négatif du romantisme, sur ses éléments extérieurs.

Pour la technique, on sent l'influence de Chopin et d'Albeniz dont le style est repris, résumé en quelques procédés typiques du romantisme espagnol surtout.

Un autre trait commun à Albeniz et à Chopin : chez l'un comme chez l'autre, l'instrument est évidemment générateur de l'idée musicale. Ce phénomène se manifeste déjà au xviie siècle (avec le violon), au xviiie (avec le clavecin). Mais c'est au xixe siècle que naît la tradition de l'improvisation au piano, comme préparation indispensable (parfois même unique) à la composition. De cela, nous trouverons encore la marque chez Fauré et jusque chez Ravel et Stravinsky.

A cette double origine des principes s'ajoute la source

populaire andalouse déjà exploitée par Albeniz et que Falla utilise par ricochet en quelque sorte. Barbieri avait montré l'exemple en utilisant quelques-uns des *caractères rythmico-mélodiques* (et, bien entendu, des caractères harmoniques qui en dépendent), *des chansons et des danses espagnoles de la fin du* XVIIIe *siècle et du début du* XIXe *dans des œuvres qui ont sans aucun doute influencé les compositeurs espagnols et déterminé la physionomie si particulière de notre musique* (celle de l'Espagne) *depuis le milieu du siècle passé jusqu'aux œuvres d'Isaac Albeniz et de Enrique Granados.* (Falla, *Écrits sur la musique et les musiciens*, p. 64.)

Une double filiation donc : filiation savante, celle de la musique occidentale à travers le romantisme, et filiation populaire venant de Barbieri en passant par Albeniz. Et toujours pas d'apport personnel. Marquant un point de repère, ces pièces comportent des éléments dont nous retrouverons trace dans presque toutes les œuvres postérieures.

Mais ce n'est pas là le seul intérêt qu'elles présentent. Nous avons vu que, par leur forme et leur titre, elles se classent dans la musique de chambre, c'est-à-dire la « musique pure ». C'est ainsi que se présentaient déjà les pièces enfantines auxquelles, en outre, tout élément folklorique était étranger.

Il nous faut constater ici un fait très important : l'élément musical prime l'élément espagnol proprement dit. Ce trait rapproche Falla d'Albeniz – dont les premières compositions sont des sonates et des suites – et le différencie des auteurs de « zarzuelas » qui partent de ce genre mineur – régionaliste, plutôt – puis veulent faire de la musique pure comme Chapi (quintettes, poèmes symphoniques) et Breton (suites, poèmes symphoniques) pour tenter, à la fin, dans un opéra espagnol, l'impossible synthèse des deux tendances.

Cet aspect naturellement espagnol de l'œuvre de Falla – qui le rapproche d'Albeniz – implique une première digression.

La plupart du temps, la critique superficielle s'attache – sans préciser en quoi il consiste – « au caractère espagnol » de la musique de Falla. Cette attitude se retrouve chaque fois qu'il est question de créateurs espagnols en général. Elle est née à la faveur de trois siècles de silence et de la curiosité mal fondée que les Européens et les Français en particulier, éprouvent pour tout ce qui est espagnol. Du XVIIIe siècle jusqu'au début du XXe, l'apparition en Espagne d'un véritable créateur est un fait tellement exceptionnel qu'il excite la curiosité du voisin. Cette curiosité passe à côté de l'élément culturel et met l'accent sur l'élément espagnol au détriment de l'art proprement dit. Prenons l'exemple de Goya : on ne dit pas qu'il est, avec Delacroix, le plus grand des romantiques, et, encore moins, en quoi consiste son art ; mais avant tout, qu'il est Espagnol. Ainsi, on n'a pas à le situer dans l'histoire universelle.

Quand on parle de Falla, on méprise trop facilement sa place dans l'histoire de la musique contemporaine. Cela est peut-être dû à la méconnaissance de la partie la plus importante de son œuvre, méconnaissance aggravée du mépris que manifestent certains esprits pour lesquels seuls les compositeurs de fugues à quatre voix, au moins, sont d'authentiques musiciens.

Quand on parle d'un artiste espagnol, on parle – incompréhensible besoin – de géographie. On consacre une large place à ce que l'on pourrait appeler l'extraordinaire espagnolisme des Espagnols. Et ce n'est pas que l'on vise à faire valoir les œuvres en les présentant sous cet angle, ce qui serait déjà une preuve de partialité. Non, on traite ce caractère d'une façon caricaturale, comme font les affiches, en deux coups de pinceau : un pour les taureaux, l'autre pour les moines, et voilà l'Espagne.

Ce qui importe en réalité, c'est d'établir l'universalité de Falla *à partir de son caractère espagnol*. En définitive, de même que Debussy n'a pas été un grand musicien parce qu'il était Français mais parce qu'il était Debussy, Falla est Falla par lui-même. Vérité qui est sans doute une lapalissade mais qui semble ne pas avoir été bien comprise. Réduire cet art à une valeur strictement nationale, c'est rester à la surface. Et s'il n'était que cela, il ne mériterait pas d'être étudié. Falla n'a pas voulu être un musicien espagnol, il l'était tout naturellement. Mais il a voulu et il a su partir de ce caractère national et le dépasser.

14

PLAZA DE TOROS

·MADRID·

¡GRAN ACONTECIMIENTO!

hace veint'cinco años no presenciado en Madrid

¡ESPECTACULO SENSACIONAL!

EL DOMINGO 13 DE FEBRERO DE 1898

PRESIDIRÁ LA PLAZA LA AUTORIDAD COMPETENTE

—◄ LUCHA FEROZ ►—

ENTRE UN

TORO DE CINCO AÑOS

DE LA RENOMBRADA GANADERIA DE

DON MANUEL BAÑUELOS Y SALCEDO

DE COLMENAR VIEJO

CONTRA UN

MAGNÍFICO ELEFANTE

« *Prémanuel de Antefalla* »

Au cours de ces deux années, la production de « zarzue-las » augmente en raison inverse de leur qualité. Après une apogée assez brillante, la décadence s'accélère. On dirait que la profusion de ces œuvrettes est destinée à pallier l'instabilité et l'intransigeance d'une politique qui entrave l'essor du mouvement musical et des institutions. Les œuvres quittent l'affiche avec une étonnante rapidité, et pour les auteurs, l'oubli suit le succès à quelques jours d'intervalle. Mais les impresarios et les interprètes demeurent. Les premiers s'enrichissent. Les seconds aussi.

La « zarzuela » est faite d'une succession de situations dont le cliché se retrouve invariablement dans les différents morceaux : chansons, duos, chœurs, entremêlés de courts dialogues. Le jeune premier, la jeune fille dédaigneuse, le valet bébête sont les principaux personnages. Le spectacle n'est pas très long : deux actes et même très souvent un seul. On peint de préférence les mœurs locales, où l'élément comique est recherché.

Au cours de ces deux années, Falla pénètre dans le monde musical de Madrid. D'apprenti, il devient auteur en passe d'être joué. Il entre en relation avec quelques musiciens en vue.

Dans les trois petites pièces de l'adolescence, on pouvait à coup sûr reconnaître l'influence de Barbieri, auteur de plusieurs « zarzuelas » qui échappaient à la banalité du genre, et pionnier de la musicologie en Espagne. Cet héritage de Barbieri, Falla le recueille surtout à travers les disciples, Chapi, Breton, Chueca, qui sont ses propres contemporains plus âgés que lui mais moins doués et c'est à cette époque qu'il décide de se consacrer entièrement à la musique. Soit par contamination, soit dans l'intention de gagner de l'argent pour réaliser un projet de voyage d'études, le jeune Manuel, alors âgé de 24 ans, se met sur les rangs des compositeurs de « zarzuelas » : le 12 avril 1902, le Teatro Comico donne la première représentation de *Los Amores de la Ines* dont le livret est d'Émilio Dugi. La compagnie de Loreto Prado-Enrique Chicote la joue dix-huit fois. Elle est la seule « zarzuela » de Falla qui ait été représentée au théâtre. C'est aussi la seule dont on ait conservé la partition : celles des quatre autres qui furent composées à la même époque ont été perdues. Cette partition est aussi plate que possible. Falla n'a pas l'aisance de Chueca quand il s'agit de faire de l'espagnolisme de bazar. Il lui manque aussi cette rondeur si nécessaire pour faire passer des situations un peu vulgaires.

Cette « zarzuela » – et les trois autres, probablement – représentent une curieuse régression et l'on peut se demander si Falla ne comptait pas, grâce à elles, gagner le grand public et, du même coup, l'argent nécessaire à son voyage. Aucun trait, aucun tour mélodique ou harmonique n'indique alors une évolution vers des voies plus étroites, moins battues, ou simplement plus nettes.

L'évolution de Falla pendant son adolescence et sa prime jeunesse a donc été très hésitante, elle a connu des régressions, ou bien Falla a délibérément essayé de faire une œuvre facile jusqu'à la vulgarité pour réaliser son désir de départ à l'étranger. Dans ce cas, son calcul était mauvais puisque *Los Amores de la Inès*, après avoir tenu l'affiche près de trois semaines, comme tant d'autres « zarzuelas », ne lui avait pas rapporté un sou.

Felipe Pedrell

C'est vers le milieu de l'année 1901, alors que Falla écrit ses dernières « zarzuelas » que se situe sa rencontre avec Felipe Pedrell dont il deviendra l'élève. Rencontre très importante qui lui donne l'occasion d'approfondir ses connaissances pendant trois ans. La figure de Pedrell est peut-être la plus émouvante de l'histoire de la musique espagnole.

19

Une intuition puissante, une très grande culture lui montrèrent le chemin que les musiciens de son pays devaient suivre pour reprendre place dans l'histoire. C'était le chemin du retour et du départ tout à la fois, celui qu'empruntaient avec tant d'enthousiasme les écrivains de la génération de 1898. Sans avoir le génie créateur de ses contemporains, il voulut à tout prix être un compositeur, et pas seulement un chercheur. Mais entre l'incompréhension des uns et le mépris des autres, Pedrell ne fut soutenu que par quelques admirateurs ; ils le sauvèrent du silence hostile qui le menaçait sans cesse mais ne parvinrent pas à lui épargner l'amertume qui s'empara définitivement de lui.

La plupart des musiciens et des amateurs de l'époque n'eurent pas connaissance de son travail ; ils auraient été incapables de l'apprécier. Mais César Cui en Russie, Hugo Riemann en Allemagne, Vincent d'Indy en France et d'autres encore s'y intéressèrent et lui demandèrent des études qui furent publiées dans toute l'Europe. C'est grâce à ces livres et à ces anthologies que la musicologie espagnole atteint un premier degré de maturité et s'intègre dans le mouvement musical européen.

Falla a vingt-cinq ans. Passé l'adolescence, sa vie va prendre un tournant imprévu. Dès le début de son expérience de compositeur de « zarzuelas » et avant, dès sa *Sérénade andalouse,* l'élément folklorique était déjà un critère de sa création. Il trouve dans une revue un fragment du drame lyrique du Catalan Pedrell, « Les Pyrénées », et il y voit une réalisation concrète de ses propres intuitions, encore obscures. Il est alors convaincu que ce chemin des « Pyrénées » était, même dans le domaine de la musique, celui qu'il fallait suivre pour rejoindre l'Europe contemporaine.

A la même époque, en 1901, Pedrell abandonne Barcelone pour prendre possession de sa chaire au Conservatoire Royal de Madrid. Le jeune Manuel se décide à demander des leçons à Pedrell. Il se rend chez lui. Pedrell est hostile aux leçons particulières. Mais il accepte, convaincu par l'enthousiasme de Falla.

Bien des années plus tard, Falla devait écrire : *Je le revois*

dans le pied-à-terre madrilène où il travaillait (un entresol
rue San Quintin, en face des jardins de la place d'Orient), tan-
tôt attendri par un chœur d'enfants chantant dans le jardin
tout proche, tantôt conversant amicalement avec un aveugle
interprète de vieilles complaintes, ou un galicien joueur de cor-
nemuse et de tambourin.

Quelle joie c'était pour nous de trouver quelqu'un de ces vieux
manuscrits qui révèlent les caractères éternels de notre art.
Et comme son regard brillait quand il expliquait ces particu-
larités, suivant du doigt une ligne musicale imaginaire qu'il
traçait dans l'espace. (Écrits..., p. 73).

Il est étonnant que Pedrell ait permis à Falla de poursuivre
ses incursions dans le domaine de la « zarzuela ». Ce genre
représentait pour lui la facilité contre laquelle il luttait constamment dans ses articles et dans ses ouvrages. Toujours est-il
que deux des « zarzuelas » que Falla a composées le furent pendant cette période. Peut-être faut-il voir là une preuve que
l'attitude du maître envers son élève était plus paternelle
que vraiment confiante en un talent naissant. Ou bien,
s'il est vrai que, suivant le dire d'un journaliste « il ne douta
jamais du succès qui attendait le courageux musicien andalou »,
c'était alors tout simplement la conviction qu'il fallait le
laisser suivre son évolution sans lui forcer la main.

Ses vingt-cinq ans ne marquent aucun progrès. C'est l'âge
où devraient s'organiser les premiers élans. Or Falla fait l'impossible pour mettre ses dispositions sous le boisseau. En
entendant les pièces qui viennent à ce moment-là s'ajouter
à ses « zarzuelas », aurait-on pu penser qu'il produirait un
jour quelque chose d'intéressant ?

Qu'il ait eu foi ou non en son élève, Pedrell l'aida quand ce
fut nécessaire. Quand Falla composa *Tus ojillos negros* (Tes
petits yeux noirs), pour chant et piano, c'est lui qui l'envoya
chez l'auteur du livret avec une lettre d'introduction et
c'est chez Pedrell qu'eut lieu la première lecture pour les
amis intimes.

Cette chanson et l'allegro de concert (morceau de bravoure,
inédit, qu'il avait présenté à un concours du conservatoire
que remporta finalement Enrique Granados) sont les deux

derniers produits de cette période qui se termine en 1902 et que Gerardo Diego appelle plaisamment « Prémanuel de Antefalla ».

Quant à ces *Petits yeux noirs* Falla a choisi le pire : *Je ne sais ce que peuvent avoir – tes gentils yeux noirs – Qu'ils me donnent de tourments ! – Et que j'aime les voir !*

Des tourments, il durent en donner à Falla, quelques années plus tard, quand la chanson connut aux États-Unis un succès irrémédiable.

Peut-être faut-il voir là une expression par la chanson d'un sentiment amoureux éprouvé par Falla ? Mais ce sentiment lui aurait-il fait oublier les innombrables poèmes d'amour de sa langue ?

Il est difficile d'expliquer ce choix d'un texte aussi pauvre autrement que par un manque de maturité du goût poétique, ou par un manque de sens poétique tout court. En effet, il n'a pas la même excuse que pour le livret des *Amores de la Inès*, où les exigences du genre ne laissaient pas grand place à la littérature. Tout permet de penser que, dans *Tes petits yeux noirs*, c'est vraiment de la poésie que Falla croyait mettre en musique.

La partition, elle, nous arrête pour deux raisons : le sous-titre de « chanson andalouse » qui confirme un retour spirituel vers la terre natale, et, sur un plan technique, la cadence dont nous avons déjà parlé ; assimilée ici au mode mineur, elle s'explique aussi comme liaison du 5e degré avec la deuxième inversion de l'accord de 7e du 11e.

Dans l'ensemble, aucun progrès sur les compositions de l'adolescence, mais peut-être un progrès minime par rapport à la « zarzuela ». On pourrait presque dire que l'œuvre qui suivra est le produit d'un miracle. Mais toute création n'estelle pas une espèce de miracle et les tentatives pour l'expliquer, des métaphores ?

Après cette période de préparation, Falla garde le silence pendant deux ans au cours desquels son seul travail consiste dans la révision d'une « zarzuela », *La casa de tocame Roque*. Par ailleurs, période de réaction contre les improvisations. Falla se fait la main plutôt qu'il ne crée, il apprend à lever le poignet pour que le dessin soit plus léger, s'exerce à la patience sous l'œil attentif de Pedrell. Il rencontre son silence pour la première fois.

Avec Falla, Pedrell pouvait faire du bon travail. Granados et Albeniz qui avaient passé par ses mains - peu de temps, il est vrai – n'avaient pu profiter de son enseignement ni réfléchir sur sa mission. Granados, à cause de son incompréhension de la forme ; Albeniz, parce que sa musique s'éloignait spontanément de toute technique rigoureuse. Falla, au contraire, sut tirer parti de l'étude parce qu'il était apte à une construction technique méticuleuse et parce qu'il avait un sens instinctif de la forme.

En 1904, Pedrell quitte définitivement Madrid, atteint d'une maladie dont il guérira sitôt réinstallé en Catalogne. A ce moment, Falla a terminé ses études théoriques. Il a fait son apprentissage et pris conscience de ses moyens. Avant Pedrell, c'était un homologue de Chueca, pour les connaissances sinon pour les possibilités. Après, c'est un musicien. Il connaît tous les procédés et deux ans d'exercices techniques et d'éloignement du public aidant, il a un furieux besoin de composer, un furieux besoin de mettre dans une œuvre de plus de portée et de plus d'ambition le fruit de ses recherches et de ses découvertes.

Au bout de ces deux ans, Falla fait le saut.

Le résultat est l'opéra *La vie brève*, laborieusement écrit en huit mois.

La vie brève

1904-1905

Le mouvement musical suit à grand-peine le renouveau littéraire amorcé vers 1898. L'isolement politique qui se dessine depuis plusieurs années entrave la pénétration dans la péninsule de la musique moderne, celle de Debussy en particulier. Si, en France, on discute Debussy, en Espagne, on l'ignore. Et ceci n'est pas un euphémisme : avant 1905, aucun programme de concert n'a vu les noms de Roussel, Dukas, Debussy ou Ravel. « Zarzuelas » et « espagnoleries », opéras de Gounod et de Puccini sont partout et ne laissent place à rien d'autre.

La musique symphonique se réduit à « quelques symphonies de Beethoven, des ouvertures de Weber ; en de rares occasions, les œuvres de Haydn, Mozart et Mendelssohn, et les fragments symphoniques des drames lyriques wagnériens », comme le notera plus tard Conrado del Campo. A la même époque, la Société Philharmonique de Madrid, créée en 1901, se consacre exclusivement à la « consommation (sic) de musique de chambre », mais – dans son désir de rattraper le temps perdu – elle bourre ses programmes d'œuvres classiques assaisonnées de quelques condiments du genre des petites-pièces-d'après-dîners de Kreisler.

25

Dans une telle atmosphère, il devient sans doute plus nécessaire que jamais de partir pour l'étranger. Falla cherche les moyens de réaliser son voyage. Une occasion se présente et il décide de tenter sa chance.

Le 5 juillet 1904, l'Académie Royale des Beaux-Arts de San Fernando met au concours la réalisation d'un opéra espagnol en un acte et de quelques autres œuvres de genres mineurs.

Cette décision est à la fois un symptôme et un aboutissement. Symptôme de l'erreur persistante des musiciens tels que Pedrell qui essaient de créer un opéra espagnol, et d'un malaise musico-administratif, reflet de l'insuffisance et surtout de l'absence de talents. Aboutissement d'un large mouvement qui commence environ dix ans avant celui de 1898, qui se maintiendra sans s'éteindre tout à fait et au sein duquel la nécessité d'avoir un opéra espagnol devient le « problème musical » du pays.

Les discussions pour savoir s'il doit ou non y avoir un opéra espagnol, comment il doit être ou ne pas être, quels sujets peuvent être choisis, nous paraissent aujourd'hui – comme tant d'autres discussions qui sont des monologues d'artistes entrecoupés de rugissements de journalistes – une monstrueuse stupidité intellectuelle. Bien que *La vie brève* soit une contribution, par la forme, à ce mouvement, on peut dire que les quelques créateurs sérieux du moment se situent en marge de toute discussion. Ni Albeniz ni Falla, ni même Granados n'interviendront une seule fois dans les polémiques qui emplissent les quotidiens, les revues et les brochures.

Au contraire, Pedrell – en tant que théoricien surtout – et Breton, et Chapi, créateurs mineurs en quête d'immortalité, et, aux échelons inférieurs, tous les petits saltimbanques de l'époque, tous les chroniqueurs qui s'improvisent mélomanes, tous les amateurs infatigables, héroïquement liés au « destin de la musique du pays » cherchent à figurer dans le ballet des idées nouvelles.

Pour les auteurs de « zarzuelas », cet opéra national est la grande découverte d'une vérité musicale à opposer aux prétentions de Pedrell et une espèce de miroir dans lequel ils pourront se voir grandis, importants, nécessaires. Dans cette perspective, ils font la guerre avec plus d'ardeur, deviennent plus insolents et les articles se multiplient. Des flots d'encre coulent de toute part. Ce nationalisme déplacé qui paraît aujourd'hui tristement dérisoire fait pourtant mine, timidement, à cinquante ans de distance, de réapparaître çà et là.

Dans les salons, dans les cafés, la « nécessité » d'avoir un opéra espagnol devient le sujet de conversation de rigueur. Mais – et ceci montre clairement l'inconsistance de l'affaire – ceux qui en débattent l'après-midi ne changent pas pour autant leurs us et coutumes et vont le soir, comme tous les autres, écouter un opéra italien ou applaudir une « zarzuela ».

En musique (en art), il n'y a pas de problèmes mais des solutions. Toute œuvre réussie est une solution. Les titres prétentieux de « problèmes de la musique contemporaine » et autres, inventés par des critiques qui vivent l'acte créateur du dehors et, par conséquent, ne le comprennent pas, sont toujours le signe d'une abusive accession à l'art par les voies de l'intellectualité. Jamais les artistes n'ont d'autres problèmes que ceux de la forme. Et ils n'ont pas l'impudeur de les poser publiquement.

S'il s'agit d'organisation de concerts, d'enseignement, de relations entre le public et la musique, ou s'il s'agit d'une recherche historique, on a le droit de parler de « problèmes » car tout cela touche au commerce ou aux sciences de la pédagogie, de la sociologie, de la musicologie. C'est-à-dire qu'il peut vraiment être question de problèmes, car on a des données à organiser et à interpréter.

Il en va autrement de la création. La musique, en tant que création éminemment individuelle – acte singulier par excellence, appréhension par un seul homme de la forme d'esprit de son époque, et aspiration à une œuvre durable, ne peut engendrer aucun problème. Le créateur n'a devant lui que la difficulté de choisir une possibilité parmi celles que chaque œuvre renferme en puissance, c'est-à-dire la difficulté de réunir les procédés qui vont se conjuguer pour traduire l'idée.

En Espagne, cependant, le mouvement en faveur de l'opéra

national ne se forme pas à partir d'une intrusion des intellectuels dans le domaine théorique de la musique. La génération littéraire de 1898, celle de Pio Baroja, de Jiménez et d'Unamuno est, dans l'ensemble, indifférente et souvent même hostile à la musique ; dans cet art d'ailleurs, elle n'a pas son équivalent, à l'exception de Pedrell. L'intrusion est le fait de gens incultes, et surtout de ce genre d'amateurs qui acquièrent un beau jour le titre de critiques et consacrent à la musique un commentaire hebdomadaire, emplissant les colonnes d'une ignorance ingénue et essentielle. Viennent à sa suite les auteurs de « zarzuelas » tentés par l'idée de faire quelque chose de plus important. C'est ainsi que se fonde dans le public et chez tous ceux qui approchent la musique d'une façon ou d'une autre, la conviction que, tant qu'il n'y aura pas d'opéra espagnol, le pays ne rejoindra pas le niveau européen. Les regards se tournent vers les exemples régionalistes de l'Europe du nord et du centre. On parle des Tchèques et des cinq Russes mais on ne les comprend pas à la manière de Pedrell ; la conclusion est que tous les efforts créateurs doivent tendre à l'opéra.

En organisant un concours, l'Académie entend apaiser le conflit et résoudre les « problèmes » de la musique espagnole. Elle vise tous les genres « espagnolisables » : opéra, poème symphonique, chants et danses populaires, chants scolaires. Reste le vrai problème, l'absence de créateurs. La décision de l'Académie devait leur tenir lieu de talent. Le hasard fit qu'elle découvrit Falla et lui donna le prix. Mais *La vie brève* n'est pas la réponse à un problème : elle est le point de départ de l'œuvre définitive de Falla.

Falla qui s'était remis au travail avec enthousiasme avait déjà un opéra en chantier quand le règlement du concours fut publié. L'idée lui en était venue à la suite de la publication d'un poème de Carlos Fernandez Shaw dans la revue « Blanco y Negro » : « Malheur à la pauvre femelle – qui est née sous mauvaise étoile – malheur à qui naît enclume – au lieu de naître marteau. »

Dès son installation à Madrid, Falla fréquente la maison de Shaw dont il est l'ami depuis des années – leurs familles se connaissaient déjà à Cadix. Shaw deviendra un célèbre librett-iste, surtout après le succès de « La revoltosa » (La turbulente) et de « La chavala » (La gamine) sur une musique de Chapi pour qui il fera plus tard le livret de l'opéra « Margarita la tornera » (Marguerite la fileuse). Joyeusement inconscient il avait composé ses textes à base de ce qu'il appelait des « arrangements » de nombreux classiques – Shakespeare, Cervantes, Lope de Vega, Tirso de Molina, Zorilla, Ramon de la Cruz – qui passaient ainsi du théâtre à la « zarzuela » par un secret mécanisme de lui seul connu. Ils avaient convenu, Falla et lui, que le sujet de l'opéra suivrait ce schéma : « Grenade – Personnages populaires typiques – Contrastes des plaisirs et des peines : la joie colorée des danses et la douleur intime d'une déception amoureuse. »

Café Cantante via Serpionse (Sevilla, avril 1890).

La perspective de réaliser son vieux projet de voyage, grâce au prix, dut décider Falla à concourir. De juillet 1904 à fin mars 1905, date limite pour la remise des partitions, il travaille sans arrêt à sa nouvelle œuvre, donnant en outre un peu de son temps à de rares concerts à Madrid et à des leçons particulières de piano. A la dernière minute, après avoir passé la nuit au travail, il doit hâter la copie de la partition pour la remettre à temps. Son frère, qui l'avait aidé, s'était trompé en de nombreux endroits et Falla est obligé d'ajouter une note explicative après la mise au net. Il charge son père de déposer l'enveloppe sous le pseudonyme de San Fernando.

C'est dans *La vie brève* que se décantent et se systématisent les acquisitions faites sous la direction de Pedrell. Parti des principes du maître, il finit par les corriger : cette composition n'est ni un document musicologique, ni un catalogue de folklore, mais la quintessence, la synthèse à travers une création totalement personnelle d'éléments populaires stylisés. Pas de transcription mais une re-création. Pour Falla le nationalisme est une occasion dont il profite parfois quand il est l'expression libre et variée de la vie musicale de son peuple, de sa race. Il en tire parti après l'avoir unifié par sa personnalité, synthétisé grâce à des procédés systématiques. Il part de la musique populaire pour créer cette « partie interne du chant » dont Pedrell parlait sans pouvoir la saisir. Avec des éléments du chant populaire dissociés, puis réunis dans sa composition, il crée une œuvre nouvelle qui lui est propre. Dans *La vie brève*, ces éléments ne sont encore qu'à moitié dissociés mais le principe est établi — en substance au moins – et il est appliqué avec toute la force de la jeunesse.

« Atmosphère andalouse » à Grenade. Falla n'a jamais mis les pieds dans cette ville et, quelques années plus tard, il déclinera prudemment les éloges décernés à sa description fidèle. Mais était-il nécessaire de connaître Grenade ? Il s'agit de musique et non de peinture. Et Falla peut donner à son œuvre l'esprit andalou sans s'inspirer de la ville andalouse par excellence. Il doit séduire l'imagination et non refléter la réalité.

D'un point de vue historique, *La vie brève* réunit les trois sources d'un siècle et demi de musique espagnole : l'Italie, l'Allemagne wagnérienne et l' « espagnolisme » issu de l'attitude vis-à-vis de la musique populaire. De sorte que – sources directes et influences – toutes les voies de la musique espagnole convergent vers elles. Parmi les sources, outre les ombres déjà lointaines de Liszt et de Chopin, il faut surtout noter l'orientation qu'a prise la musique espagnole à travers Barbieri, Breton, Chueca et Chapi, à partir des *Amores de la Inès*.

Deux influences nouvelles et déterminantes : celle de Puccini et celle de Wagner. Il faudrait aussi ajouter celle de Pedrell, efficace et visible surtout dans la construction technique de l'œuvre, mais non dans le style, bien entendu.

Dans les conditions où il travaille, Falla ne peut pas avoir connaissance du mouvement impressionniste qui a déjà fait son chemin en France. La seule chose dont nous soyons sûrs – grâce aux programmes madrilènes – c'est que l'on affiche souvent les musiciens du XVIIIe siècle et les romantiques. Mais il est possible que quelque partition de musique contemporaine soit parvenue jusqu'à Falla, par un moyen ou par un autre. On a peut-être écarté cette éventualité un peu à la légère : c'est presque uniquement sur cette ignorance que Salas Viu fonde l'intérêt historique de *La vie brève* (Salas Viu : « Falla et l'avenir de la musique espagnole » dans sa traduction du livre de Roland Manuel). Ne peut-on supposer que l'œuvre de Debussy ait été portée à la connaissance de Falla par une voie officieuse tout comme des pièces de Wagner avaient été connues à Cadix dix ans auparavant ?

Par ailleurs, il nous faut tenir compte d'un fait d'importance capitale : nous ne connaissons de l'opéra de Falla que sa version définitive qui fut élaborée bien des années plus tard, à Paris, et après avoir subi peut-être diverses influences. (C'est de cette version que sont tirés les exemples qui servent à l'analyse.) Mais cette donnée ne saurait modifier le caractère d'authenticité de l'œuvre. Elle peut nous permettre de mieux situer les influences reçues, mais notre attention demeure fixée sur le fait que, à des centaines de kilomètres de distance, et sans connaître l'œuvre de Debussy, Falla inaugure une nouvelle époque de la musique espagnole en relation – grâce à quelques rencontres – avec le mouvement impressionniste. Il se rapproche ainsi de Debussy, qu'il ait ou non connu la musique française contemporaine. Dans *La vie brève*, ce parallélisme vient d'un esprit commun et non – comme le montreront les œuvres postérieures – d'une influence subie.

Ceci vaudrait toujours, quand bien même on arriverait à prouver que Falla connaissait l'œuvre de Debussy avant de composer son opéra car on ne prend à un autre que ce qui est déjà à soi et que l'on voit dans l'œuvre de l'autre comme dans un miroir. Ni plagiat ni imitation mais assimilation. Chacun emploie le langage qui lui est propre pour exprimer une même réalité historique.

La vie brève est une œuvre-clé de l'évolution de Falla : pour la première fois, il organise d'une manière cohérente tous les éléments de son œuvre antérieure. Toutes les allusions qui se manifestaient avec timidité s'expriment à l'aise, de même que les influences. A l'expression première et vigoureuse de sa personnalité, il ajoute une note pré-impressionniste et son tempérament andalou. Ce dernier perce dans l'emploi de certains accords, dans une atmosphère qui n'est pas étrangère au Liszt de la première période, et dans le recours aux éléments du chant populaire avec des allusions au « cante jondo ».

Dans les premières analyses, une inévitable comparaison s'impose avec « La Fiancée vendue » et « Pepita Jimenez ». Avec Smetana parce que, comme Falla, il se réclame de Wagner et éprouve des difficultés de composition dans cette recherche d'un langage qui doit s'établir sur un plan national. Avec Albeniz, parce que tous deux cherchent un moyen de s'exprimer plus librement dans l'avenir, de sorte que l'opéra n'est pour eux qu'un dernier exercice, un dernier essai. Mais cette forme est également étrangère à leurs deux tempéraments.

La lecture du livret nous confirme dans nos conclusions sur les goûts littéraires de Falla. A vrai dire, l'argument suffirait pour cela : une pauvre orpheline andalouse (Salud) est trompée par son fiancé (Paco) qui l'abandonne et se marie avec une femme « de sa condition ». Mise au courant de la trahison, Salud se rend chez Paco le jour de la noce, se débat un peu et meurt en constatant «l'infamie» sous les yeux atterrés de la grand'mère et de l'oncle Sarvaor. Le pire c'est peut-être la fin qui, comme le disait Pierre Lalo (« Le Temps » 6-3-1914) « est si brusque qu'on ignore si ce n'est pas l'actrice qui se trouve mal et la pièce qui finit par accident. »

Falla et « La vie brève ».

Le choix de Falla ne prouve pas, comme on l'a prétendu un peu légèrement « *la misère du théâtre espagnol contemporain* ». Falla dédaigne – ou ignore – complètement les écrivains de son époque, Valle-Inclan, Unamuno, Benavente même et d'autres, bons auteurs dramatiques. Il nous faut bien admettre que l'on peut manquer de sens littéraire et poétique et être musicien. Il diffère en cela de ses contemporains. Chez Schœnberg, Bartok, Stravinsky, Hindemith (qui met Rilke en musique !) un instinct poétique sûr va droit au meilleur. C'est aussi le fait des musiciens de notre siècle, à partir de Debussy.

En 1904, Falla a vingt-huit ans. Age, sinon de maturité, du moins de recensement des acquisitions. Une absence totale de sens littéraire et poétique l'entraîne jusqu'à une sensiblerie bon marché. Incapacité manifeste ou culture négligée ?

La vie brève est le premier fruit d'une meilleure connaissance de la musique. Mais elle comporte encore des vestiges de la vulgarité ambiante. Synthèse de principes et d'influences diverses, c'est le meilleur spécimen de toutes les tentatives espagnoles similaires.

C'est un simple poème symphonique plutôt qu'un opéra, bien qu'il ait l'organisation apparente de ce genre : quelques duos, des chœurs, des récitatifs (soutenus par une harmonie toujours en mouvement). A ces formes classiques s'ajoutent d'autres, d'origine populaire : chansons, semi-chansons (passages qui servent de liaison mais ne sont pas des récitatifs), et tours d'inspiration personnelle mais écrits dans la même ambiance (harmonie) que les autres. Deux danses complètent les éléments formels : l'une est authentiquement populaire, mais développée – il y emploie pour la première fois le document sans le reprendre exactement – et l'autre, création vraiment personnelle, est la fameuse « danse de la vie brève », sa meilleure page jusqu'à cette époque. Dans un style constamment harmonique (mélodie principale basée sur des accords) l'œuvre participe du mode tonal pré-impressionniste (Puccini-Bizet) en utilisant en même temps des gammes mineures spéciales comme celles qui avaient été employées antérieurement dans les petites pièces pour piano afin de leur donner un caractère andalou.

Par agrégation, une série de motifs sert de base à chacun des deux actes et leur retour périodique assure un minimum d'unité à la forme : au premier acte, la chanson du forgeron, par exemple (non pas populaire, mais écrite dans le style populaire sur le texte du couplet que le sujet suggéra à Falla) reprend le thème général. Le compromis entre la musique savante et la musique populaire consiste à harmoniser le chant dans un style populaire en obtenant une harmonie sous-entendue pour l'oreille habituée au système traditionnel. Cette tentative d'unification ne réussit pas toujours.

C'est par là et uniquement par là que Falla suit Pedrell. Cette mélodie que chante Salud est un exemple typique :

C'est la première manière, la plus simple, de traiter la chanson populaire : l'élever, avec ses déviations éventuelles au mode mineur – ou majeur – classique. En recourant à ce procédé, Falla part du point où son maître s'était arrêté. Ce fragment des *Pyrénées* le montre :

La pédale, à la manière d'Albeniz dans ses premières œuvres, acquiert dans *La vie brève* une saveur russe : c'est à Moussorgsky que l'on pense, à maints endroits. Voilà qui est curieux car ce n'est pas par l'intermédiaire de Pedrell que Falla aurait pu connaître l'œuvre du musicien russe que Paris venait tout juste de découvrir.

Les accords augmentés sont hérités de Liszt. Mais leur emploi ici n'est pas assimilable à celui qu'en fait Debussy : ils n'ont pas de valeur en eux-mêmes, c'est-à-dire qu'ils ont toujours une résolution tonale et remplissent une fonction. C'est dans les « Préludes » et les « Consolations » du musicien hongrois, que Falla connaissait et jouait sûrement, qu'il faut chercher leur source.

L'influence wagnérienne est présente dans certains procédés et dans l'atmosphère créée. En particulier, dans la mélodie générale (qui rappelle vaguement la mélodie infinie) reprise par le chant et par l'orchestre tour à tour, de sorte qu'ils tissent continuellement le fil conducteur selon ce schéma :

de même, dans certains changements de ton brusques succédant à un silence par l'attaque d'un accord parfait majeur, destiné à donner une impression de plénitude ; dans le 7e de sensible ; dans la descente mélodique d'une seconde, répétée à l'octave aiguë et qui suspend le discours musical.

Outre ce concours d'influences, cette œuvre de Falla nous livre pour la première fois ses trouvailles personnelles qui vont devenir partie intégrante de son langage de musicien. Distinguons parmi celles-ci :

1. Le recours au « cante jondo », manière primitive du chant andalou (littéralement « chant profond ») dans les « soleares » qui ouvrent l'acte III, avec intervention des guitares. La mélo-

die, bien que purifiée et liée au système tonal traditionnel se libère de l'harmonie classique à l'aide d'accords caractéristiques que l'instrument produit commodément. Ceci est la première marque d'une indépendance par rapport à la technique qui tend à se rapprocher du chant populaire et à lui emprunter ses éléments propres.

Entregados al placer
De un baile estos que aqui miras
Saltando a mas no poder.

Estos pobres labradores
Bailan con mucha alegria
Para aliviar sus sudores.

2. Dans certains passages, des accords qui rappellent ceux de Liszt vont plus loin et appartiennent déjà à la musique impressionniste, en même temps qu'ils présentent une harmonie pour ainsi dire polyphonique. Ils sont donnés sur une pédale, dans une position qui préfère les sixtes et les tierces. En voici un exemple qui constitue, par ailleurs, un des moments les plus beaux de l'œuvre par sa pureté mélodique et sa poésie et par l'heureux « anti-climax » qu'il amène. Il s'agit du début de la scène 6 du premier acte :

3. La descente d'une seconde mineure sans harmonie ou avec harmonie sous-entendue qui se justifie en tant que cadence elliptique à la manière andalouse, comme nous en avons signalé dans les pièces pour piano. Parmi de nombreux exemples, nous pouvons prendre celui du début de l'œuvre qui sera le motif-clef de tout le premier acte (l'atmosphère prend ici un certain caractère wagnérien) :

4. Un procédé formel – ceci est peut-être le plus important – qui est une manière nouvelle et non classique de développer un passage comme l'a fait parfois Stravinsky et, d'autre part, Bartok. Il consiste à utiliser une note pivot autour de laquelle s'organise une ligne et qui sert ainsi

39

de point de départ à tout un morceau. Très souvent, Falla utilise la mélodie elle-même comme c'est le cas dans cet exemple de la danse de l'acte II, où tout part d'un pôle mélodique en mi (nous le rencontrerons toujours dans la dominante, et quelquefois dans la tonique) :

Cette personnalité qui s'affirme ainsi – et particulièrement dans la magnifique danse de l'acte I et dans l'intermède qui unit celui-ci au second – révèle déjà un musicien adulte, capable d'écrire une œuvre importante même s'il le fait encore sous l'égide de ses aînés. L'important, le surprenant, c'est que *La vie brève* puisse, à elle seule, annoncer l'évolution future que les timides essais du début ne laissaient en rien prévoir.

Au début de 1905, tandis que Falla termine en hâte son opéra, la fabrique franco-espagnole de pianos Ortiz et Cusso (à Madrid) et Chaissaigne (à Paris) organise un concours d'exécution. Le prix est un piano à queue.

Tout à *La vie brève*, Falla avait renoncé à se présenter. Mais son maître Trago le convainc et il prépare les œuvres du programme en quelques semaines, en même temps qu'il met au net sa partition dont quelques passages restaient encore à orchestrer. Il décide de tenter sa chance.

Depuis plusieurs mois, il avait cessé d'affronter le public en tant que pianiste. On pouvait s'inscrire jusqu'au 1er avril, lendemain de la date limite pour la remise des partitions au concours de l'Académie. Le jury était présidé par Breton, alors Commissaire royal au Conservatoire – avec les attributions de Directeur, mais sans chaire conformément au nouveau règlement édicté par le comte de Romanones.

Une fois son opéra remis à l'Académie, Falla a tout juste

quelques jours pour se consacrer à fond à l'étude du programme imposé au concours. Il obtient le prix contre toutes les prévisions, qui donnaient comme vainqueur Frank Marshall, élève de Granados et fort bon pianiste.

Quelques jours plus tard, le 4 mai 1905, il donne un concert à l'Athénée de Madrid. Il rejoue les pièces du concours auxquelles il ajoute son *Allégro de Concert*, écrit trois ans plus tôt. Plusieurs autres auditions suivront pendant que les résultats du concours de l'Académie se font attendre, mois après mois.

Si Falla n'a pas été, par la technique, un grand pianiste, il semble, à entendre ses contemporains, qu'il ait eu en compensation beaucoup d'expression, ce qui pouvait lui conquérir un auditoire, surtout dans la circonstance exceptionnelle d'un concours. Julio Gomez dit de lui : « Ce n'était pas un pianiste brillant, un de ceux qui enthousiasment le public, mais c'était un pianiste très fin. Personne ne pensait qu'il aurait le prix ; tous croyaient en Marshall ou en quelqu'autre interprète de plus d'éclat. Et – ce qui rend le résultat encore plus surprenant – il se trouve que Falla joua le matin, devant un public beaucoup moins nombreux que celui qui vint assister aux épreuves de l'après-midi. »

A l'Académie, le 14 novembre 1905 – sept mois après la remise des partitions – trente-trois membres réunis dans la salle des sessions découvrent Falla et lui donnent le prix. Parmi beaucoup d'illustres inconnus, deux hommes, Fernandez Arbos et l'immanquable Breton, donnaient à l'assemblée une garantie de sérieux. Le procès-verbal nous informe que « M. Garrido, secrétaire de la section de la Musique, donna lecture de la motion émise par celle-ci au sujet de la décision dont ont fait l'objet des œuvres présentées au Concours d'œuvres musicales organisé par l'Académie. Cette motion propose : le 1er prix de 2.500 pesetas, réservé au premier sujet, à l'opéra portant la référence *San Fernando* ». Vient ensuite l'énumération des prix pour les autres sujets. Plus loin, nous lisons : « L'Académie a approuvé la motion. L'ouverture des plis correspondant aux œuvres primées a révélé que M. Manuel Maria de Falla et M. Carlos Fernandez Shaw, étaient respectivement l'auteur de la musique et du livret de l'opéra. » Le procès-verbal conclut en disant que « L'académie est informée et donne son accord pour publier le résultat du Concours dans la Gazette de Madrid. »

Et une demi-heure plus tard, commençait pour Falla ce que quelqu'un a plaisamment nommé « le chemin de la croix ».

En effet, l'article 9 du règlement prévoyait que « l'Académie ferait le nécessaire pour que les œuvres primées fussent jouées publiquement et avec tout l'éclat voulu, dans un théâtre de Madrid. »

Il est possible que le nécessaire ait été fait. Ce qui est certain, c'est qu'aucun des projets n'arriva à bon terme. L'idée d'un opéra espagnol était depuis longtemps dans l'air, mais les impresarios étaient les seuls à ne pas lever la tête et à ne pas s'y intéresser. Celui du Théâtre royal, le plus indiqué pour monter un opéra et sur lequel Falla avait compté « avait terminé la saison 1905-1906 sur un bénéfice de près de 129 000 pesetas, bénéfice qu'il attribuait surtout au fait d'avoir satisfait les préférences du public pour des œuvres plus chantantes (sic) qui mettent en valeur les grands premiers rôles ». Voilà ce que dit dans un article le fils du librettiste. Le montant du prix était certes une somme importante : elle ne pouvait suffire à Falla pour partir et la seconde partie de son projet comportait la représentation de l'œuvre.

Pour le moment, le voyage à l'étranger était impossible. Il fallait absolument obtenir que *La vie brève* fût portée à la scène.

1906 - 1907

Un an et demi de démarches pour essayer de faire représenter son opéra. Echecs, contre-temps.

Un an et demi jalonné de concerts sporadiques, de réunions musicales hebdomadaires, de soirées théâtrales où Falla découvre les auteurs contemporains. Et surtout, un an et demi pour s'affirmer sur le plan théorique et élaborer son esthétique : un livre inattendu lui apporte, objectivés, les éléments grâce auxquels, par la suite, il créera son style.

« El Rastro » (la trace) est l'une des promenades les plus pittoresques de Madrid, où l'on cherche « à la trace » les objets et les curiosités les plus extraordinaires, les livres épuisés et les vieilles gravures. Les quais de Paris sans la Seine, une sorte de marché aux puces. Falla, se promenant un soir par là, s'arrête devant un livre dont le titre lui paraît suggestif : « Acoustique nouvelle », par Louis Lucas. Il l'achète, mu par un de ces mouvements distraits qui nous portent souvent vers des livres inconnus mais susceptibles de contenir quelque chose d'intéressant... Une bonne pile de feuilles écrites de sa main (il avait horreur d'annoter ses livres) témoigne de l'importance que cette trouvaille eut pour lui. (« Une révolution dans la musique / essai d'application à la musique d'une théorie philosophique, par M. Louis Lucas / ouvrage précédé d'une préface par M. Théodore de Banville et suivi du Traité d'Euclide et du Dialogue de Plutarque sur la musique » / Paris, Paulin et Lechevalier, édit., 1849.)

C'est ainsi que le hasard lui offre le sujet d'une ultime réflexion avant de quitter l'Espagne. Elle survient après l'apprentissage de la méditation technique fait auprès de Pedrell : premier regard au fond de lui-même. Ce point de départ s'appelle *La vie brève*.

Dès ses débuts, la préoccupation consciente du phénomène musical, la recherche d'une compréhension de son art, et la conviction que le créateur doit être, comme le veut Hindemith, un « super-musicien » en connaissances et en maturité musicale, s'ajoutent chez Falla à la conscience historique – signe distinctif de notre époque et trait qui l'unit à ses contemporains. Falla se regarde en tant que compositeur. Chez lui, la spéculation théorique plus ou moins développée est simultanée ou, en tous cas, immédiatement postérieure (jamais antérieure !) à l'acte musical ; si les principes du livre de Lucas ne sont pas mis en pratique immédiatement, ils vont, par contre, mûrir lentement et nous les verrons réapparaître plus tard.

Pendant ces années-là, il découvre Debussy et joue en concert « Danse sacrée et profane ; » puis, il écrit une lettre enthousiaste au musicien français qui lui répond cordialement. Avec Debussy, Ravel, Roussel, la musique française la plus récente lui révèle un monde qu'il faut aller toucher du doigt, un air qu'il faut aller respirer ; la lettre de Debussy est le souvenir lointain d'un passé que l'on n'a pas vécu, d'un milieu que l'on n'a pas connu. Que faire ? Falla a décidé de partir par n'importe quel moyen et tout ce qu'il peut faire pour réaliser son projet est de redoubler d'efforts pour rapprocher son opéra des feux de la rampe. Mais il n'aboutit à rien.

En 1905, alors que Falla terminait son opéra, Blanche Selva donnait pour la première fois, à la Schola Cantorum, « La Vega » d'Albeniz, Debussy assistait à la première audition de « Pelléas » à Bruxelles, Ravel achevait sa « Sonatine », Picasso s'installait définitivement à Paris.

Falla est pressé, comme avant lui Albeniz et Picasso, à qui trois tentatives, séparées par des périodes de faim, furent nécessaires pour parvenir dans la capitale de l'occident. Tout comme les musiciens du XVIe siècle étaient formés à Rome, Falla et ses contemporains sont formés à Paris.

Falla avait obtenu d'un soi-disant impresario la promesse qu'il ferait une tournée de concerts en France. Avec cela, et un peu d'argent, il décide une fois pour toutes, à la fin de l'hiver 1906-1907, de partir pour Paris l'été suivant. Demeurer à Madrid dans l'attente lui serait insupportable.

Il part en juillet 1907 et passe par Vichy.

Quelles sont ses intentions, exactement ? Que pense-t-il faire après sa tournée ? Il est possible qu'il ait abandonné divers projets, vite modifiés au gré des circonstances. La partition de son opéra pouvait, à tout le moins, lui servir de carte de visite. Falla entretient déjà une foi aveugle et obstinée, une foi qui ignore le doute métaphysique. Il s'en arme et, avec sa plus belle espérance, il quitte l'Espagne. Voici le chemin des Pyrénées entrevu grâce à Pedrell : double prémonition. Il laisse derrière lui le souvenir d'un jeune musicien qui a réussi plusieurs concours, deux ans après avoir produit une « zarzuela » aussitôt oubliée.

44

Taverne Olympia
Restaurant
OUVERT TOUTE LA NUIT
ORCHESTRE
DE DAMES
MONTAGNES RUSSES
28 Boul^d des Capucines & 6 Rue Caumartin

Un Espagnol à Paris

Les derniers échos de la « belle époque » s'éloignent. La catastrophe n'est pas loin. Paris s'offre le luxe d'une grande vie superficielle et, parallèlement, d'une activité musicale de plus en plus intense. En ces sept années, le nom de Debussy et l'esthétique impressionniste s'affirment définitivement. Ravel donne la partie la plus importante de son œuvre.

Deux places fortes, deux foyers de tendances différentes dans le milieu de la musique : à la culture wagnérienne de Vincent d'Indy et du romantisme savant de la Schola cantorum s'opposent les grands créateurs de l'époque, Debussy, Roussel, Dukas, Fauré lui-même dans ses dernières œuvres, entourés de plus petits, Séverac, Chausson. L'étrange et formidable Erik Satie les regarde de loin, flegmatique et railleur. Un autre andalou a précédé Falla dans ce voyage à l'étranger, Joaquin Turina, compositeur destiné à l'oubli, s'est approché de la lumière de la Schola ; il est déjà un disciple de Vincent d'Indy. Manuel de Falla suit un autre chemin : authentique musicien de son époque, sensible à l'exigence du moment, il va droit au vrai et frappe à la porte de Dukas et de Debussy.

Ces sept ans sont décisifs dans la vie de Falla, à tous points de vue. Il acquiert définitivement la technique de l'orchestre, en même temps qu'il complète largement son étude des œuvres contemporaines françaises et étrangères ; il parviendra à faire jouer et à éditer ses premières œuvres importantes et plusieurs centres d'activité musicale le sollicitent. Son nom sort lentement de l'inconnu et ira rejoindre dans l'histoire ceux de ses contemporains.

A son arrivée à Paris, après de multiples péripéties, il rencontre l'impresario dont il avait fait la connaissance en Espagne. Ce n'est qu'un employé, qui ne peut que lui proposer une tournée avec une petite troupe de second ordre. La nécessité ne lui laisse pas le choix ; il accepte, et parcourt la Belgique et la Suisse en quelques mois, tenant le piano dans un spectacle de ballet.

A la fin de la tournée, il rentre à Paris avec un peu d'argent.

Phot Femina.

M. Lucien Capet.   M. Louis Hasselmans.   M. André Tourret.   M. Louis Bailly.
LE QUATUOR LUCIEN CAPET.

On est en septembre. Dans son appartement de Levallois, rue Chevalier, Ravel écrit les derniers accords de « L'Heure espagnole ». Pour Falla, c'est l'heure française qui sonne.

En attendant une tournée problématique, Falla décide d'en entreprendre une autre, celle des musiciens qu'il désire connaître et dont il désire être connu.

Il fréquente Ricardo Viñes, ce pianiste exceptionnel qui se consacre presque exclusivement à faire connaître l'œuvre de ses contemporains et méprise la virtuosité au profit de la musique pure. C'est par lui qu'il fait la connaissance de Ravel avec qui il noue, dès le premier jour, une véritable amitié.

Si Ravel se trouvait chez lui, retenu par son travail, Dukas et Debussy, eux, étaient en vacances et Falla dut attendre leur retour. Il semble que ce soit Dukas qui ait lancé l'idée que *La vie brève* pourrait être représentée à l'Opéra Comique. Nul doute que l'œuvre l'ait vivement intéressé et c'est sans appréhension qu'il reçoit l'auteur qu'il ne connaît pas. Falla lui expose ses projets et Dukas lui donne des conseils sur la manière d'étudier l'orchestration et l'autorise à lui apporter ses prochains travaux. Ceci décide Falla à travailler. Sa ténacité d'autodidacte se confirme alors. Elle se manifestait depuis le départ de Pedrell pour Barcelone ; maintenant, elle est systématique.

Je crois que l'art s'apprend mais ne s'enseigne pas, écrira-t-il. Condition permanente de tout créateur (à quelque stade du travail scholastique que ce soit), sa voie est la recherche d'un langage personnel et implique un apprentissage que personne ne pourrait faciliter et qui ne pourrait pas venir du dehors.

Une fois cette décision prise et sans penser pour le moment à retourner en Espagne, Falla se consacre avec joie à approfondir sa connaissance de la musique française. Il assiste à des concerts, achète des partitions et élargit ses découvertes. Parmi celles-ci, Debussy, qu'en cette année 1907, Bartok découvrait et étudiait lui aussi à Budapest, sur les instances de Kodaly.

C'est Dukas lui-même qui annonce à Debussy (celui-ci se souvenait-il de l'échange de lettres ?) l'arrivée d'un « petit Espagnol tout noir ».

La difficile première entrevue a lieu, assaisonnée de la meilleure ironie debussyste qui assaille l'andalou timide.

– *J'ai toujours aimé la musique française,* avance Falla, qui reçoit cette réponse :

– Ah, oui ? Moi, jamais.

C'est aussi par Dukas que Falla fait la connaissance d'Albeniz. N'est-ce pas un fait symptomatique que les deux grands musiciens espagnols de l'époque se soient connus à Paris ? A ce moment-là, Albeniz travaille au quatrième cahier de «Iberia». Les trois premiers avaient été portés à la connaissance de tous les publics par la pianiste Blanche Selva ou d'autres, Joaquin Malats et Viñes lui-même.

Après une adolescence précoce, révélant une insatiable soif d'aventures qui devait faire de lui un voyageur infatigable, après des études brillantes au Conservatoire de Bruxelles et des succès de virtuose, après l'établissement de sa réputation de compositeur, Albeniz dans la force de l'âge, s'était marié et établi en France. Il est un exemple de force communicative, de génie « qui jette la musique par les fenêtres », comme disait Debussy, et de générosité peu commune. Il accueille Falla comme un frère et celui-ci lui gardera toute sa vie une reconnaissance fidèle.

La réunion de ce groupe homogène de musiciens français et espagnols pourrait être symbolisée chez les instrumentistes par le trio Cortot-Thibaud-Casals. Elle témoigne de l'intérêt des musiciens de Paris envers tout ce qui est espagnol, intérêt qui est la dernière manifestation d'un long mouvement historique.

Le trio Casals-Thibaud-Cortot

DE L'INTERPRÉTATION
DE CARMEN

par Lucienne Bréval

A partir du XIXe siècle, la musique française est souvent influencée par l'Espagne. Il suffit d'évoquer ce constant parti pris de pittoresque chez Massenet (« Le Cid »), Bizet (« Carmen »), Chabrier (« España ») et Lalo (« Symphonie espagnole ») que l'on trouve aussi chez Saint-Saëns (« Caprice andalou »). Cette musique obtient un succès considérable en Espagne et on en rencontre des échos chez des auteurs mineurs (Breton : « A l'Alhambra » – Chapi : « Fantasia morisca »). C'est un phénomène distinct de celui qui oriente les recherches vers une musique proprement espagnole ; il imprègne aussi la première manière d'Albeniz – toute une série de petites pièces – et il laisse peut-être une dernière trace dans *La vie brève* de Falla.

Cette première influence se transmet à l'impressionnisme de Debussy (« Iberia », « Soirée dans Grenade », « La puerta del vino ») et de Ravel (« L'heure espagnole », « Rapsodie espagnole »). C'est une attitude seconde, évoluée, par laquelle

Publication Mensuelle

MUSICA

Mˡˡᵉ GENEVIÈVE VIX

dans "L'Heure Espagnole"

ces musiciens s'éloignent résolument de tout aquarellisme et cherchent à donner, rien que par l'évocation, par l' « esprit », un caractère espagnol à leur musique ; par ricochet, elle marque la maturité d'Albeniz et confirme Falla dans le chemin où il s'est engagé. C'est ainsi que, plus tard, parlant des phénomènes harmoniques caractéristiques du jeu de la guitare, par exemple, Falla pourra dire que *les musiciens espagnols ont négligé et même dédaigné ces effets, les considérant comme quelque chose de barbare ou les utilisant pour des formes musicales anciennes* et que *Claude Debussy* (nous pourrions ajouter « et Maurice Ravel ») *leur a montré la manière de s'en servir* (Falla, *Écrits...*).

Si les Espagnols rêvent de bon goût et de perfection formelle à la française, ainsi que des tiédeurs crépusculaires de Fauré, les Français, à leur tour, semblent envier la force tragique et l'élan espagnols. L'Italie, qui a certaines affinités méditerranéennes avec l'Espagne est marquée, elle aussi, par la musique française : les harmonies de Fauré, par exemple, se glissent dans l'œuvre de Respighi et de Pizzetti.

Ce qui est étrange, c'est qu'après leur voyage d'initiation, une fois leur technique affirmée et leur métier acquis, les musiciens espagnols sortent purs de leur rencontre avec la France. Au contraire, ceux qui sont restés en Espagne sont des produits mineurs de l'influence française, l'ombre falote et le lointain écho des créateurs qui font autorité. *Imitateurs serviles*, dira Falla.

A l'époque de l'impressionnisme, l'intérêt des musiciens français pour l'Espagne participe de l'intérêt pour l'exotisme en général dont se nourrit leur œuvre entier. Leur regard se tourne aussi vers la Russie et l'Orient. A ce sujet, les voyages de Ravel en Espagne, la visite de Dukas et de Debussy à l'Exposition Universelle de 1900 et leur intérêt pour le stand d'art chinois sont significatifs. Cette préoccupation pour « l'espagnol » est centrée sur le caractère extra-européen de l'Espagne qui, tout comme la Russie, reçoit des fins fonds du continent (Asie – Afrique) des accents nouveaux. Pour les musiciens de Paris, Moussorgsky et Albeniz sont les deux faces d'une même médaille.

C'est ainsi que, grâce aux musiciens français et aux musiciens espagnols de France, Falla a accès, pour la première fois, à la musique européenne. Par Dukas, Debussy et Ravel, en même temps que par Viñes et Albeniz, il en connaît d'autres qui, comme Schmitt, Fauré et Stravinsky, deviendront ses amis.

Falla, 1910.

Amitiés sans intimité, cependant. Ce personnage mysté-
rieux, plutôt petit, timide, la moustache fournie et la parole
rare, qui porte placidement sa *Vie brève* sous le bras, dont le
regard vif et les caractères de dolicocéphale indiquent l'origine méridionale, s'exerce déjà à l'ascétisme. Ce qui retient
le plus l'attention, quand on aborde la vie de Falla, c'est

l'absence de traces d'amitiés intimes et de sentiments amoureux, et cela dès la prime jeunesse. Ni fiancées, ni maîtresses. Pas d'amours paisibles ou tumultueuses, légitimes ou clandestines dans la vie de Don Manuel. Un voile de pudeur impénétrable recouvre une âme austère et un esprit catholique intransigeant pour soi-même et tolérant pour les autres. Cette pudeur de Falla rappelle celle de Ravel, comme lui timide et toujours sur la défensive. Pudeur qui entrave les grandes effusions et se traduit toujours – même dans les moments les plus émouvants – par une noble réserve. Falla se dissimule sous ses moustaches, comme Ravel derrière son sourire lointain. De même, dans leurs œuvres respectives, le tempérament ardent sera toujours contenu par une main éclairée, inlassablement soucieuse de perfection. Chez Falla, le sang andalou est gouverné par une tête castillane, comme chez Ravel le sang basque obéit à Montfort l'Amaury.

Pendant les premiers mois de 1908, l'adaptation à Paris ne constitue pas la seule activité de Falla : le projet de faire représenter *La vie brève* est à la fois l'objet et le prétexte de ses démarches. Peu de temps après avoir fait sa connaissance, Albeniz le présente à Paul Milliet, librettiste de Massenet, dont l'influence dans le milieu lyrique est grande et qui lui fait connaître Carré, directeur de l'Opéra Comique. Milliet traduit le livret de Shaw mais, vers le mois d'août tout est arrêté. En lui donnant l'assurance que Carré comptait mettre l'œuvre au programme d'une prochaine saison, Falla explique à Shaw dans une lettre : *La grande difficulté c'est que, comme je ne suis pas français, mon opéra n'entre pas dans les conditions de son contrat* (celui de l'Opéra-Comique) *avec l'État. Pour le faire monter, il doit donc payer les frais sur son propre budget. Croyez bien que ce n'est pas sans raison que Milliet dit qu'il est absolument certain que l'œuvre sera montée.* Mais, pour l'heure, le projet reste vaguement proposé pour une saison à venir, sans plus de précisions.

Les deux petites tournées que Falla fait en Europe, à peine arrivé à Paris, sont comme une plaisante préfiguration des tribulations qu'il connaîtra la même année à Paris –

toujours à cause du piano que de rares hôtels, seuls, acceptent – et qui feront dire à Debussy, avec son ironie habituelle : « Il déménage plus souvent que Beethoven. » Le lieu géométrique de ces allées et venues est l'hôtel Kléber, dans l'avenue du même nom.

Sa première rencontre avec le monde musical français a lieu le 2 janvier. Ce jour-là, il assiste chez la princesse de Polignac à la première audition privée des trois premiers cahiers de « Iberia » interprétés par Blanche Selva ; il entre ainsi en relation avec une famille que nous retrouverons plus tard. Peu de temps après, il commence à suivre les réunions hebdomadaires chez Maurice Delage où se rencontrent souvent Ravel, Léon-Paul Fargue, Viñes, Florent Schmitt, Déodat de Séverac et d'autres musiciens, écrivains et peintres qui avaient constitué l'ardent groupe de choc des batailles de « Pelléas » : les « Apaches », comme ils se nommaient eux-mêmes. Auprès de Viñes et de Falla, un autre jeune Espagnol, compositeur, « féru de mélodies et de mathématiques », un certain Joaquin Boceta sur lequel nous ne saurons plus rien par la suite.

Viñes, Jeanne Mortier, R. Mortier, l'Abbé Petit et Ravel

Turina

A peine installé à l'hôtel Kléber où il se trouvait fort à son aise, Falla tombe nez à nez avec Turina qui vient de passer les vacances dans son pays. Un piano pour deux, ce n'est pas suffisant et, de plus, ils se gênent continuelle-

Debussy

ment. Le plus jeune doit céder la place au plus âgé et Falla
recommence, une fois de plus, ses recherches de logement.

Les rapports entre Turina et Falla furent toujours aussi
cordiaux que le permettaient leurs personnalités bien mar-
quées et la différence entre un musicien tout à fait mineur
et un véritable créateur. Le dimanche, ils allaient à la messe,
et l'après-midi à quelque concert symphonique. Ils devaient
avoir de longues discussions. Falla croit fermement en une

Albeniz

musique espagnole et universelle ; Turina hésite entre les formes classiques qui lui lient bras et jambes et les formes nouvelles qu'Albeniz et Falla lui proposent au cours de leurs conversations.

Mais si Turina reçoit chaque mois d'Espagne une bonne somme d'argent, Falla, lui, vit pauvrement. Ils sont bien loin l'appartement de Madrid et le piano à queue ! Bien loin, les déjeuners et les succulents goûters madrilènes. Les moyens

« d'affiner l'esprit » se présentent sous les multiples couleurs de la nécessité. Le voyage a été une aventure et la possibilité de s'intégrer au mouvement parisien a décidé Falla à rester. Il faut tenir le coup et improviser chaque jour pour échapper à la misère.

Quelques leçons de piano aux fillettes d'un fonctionnaire de l'Ambassade, des traductions en tout genre et pour les publications les plus invraisemblables, l'accompagnement – ce qui est préférable, mais aussi plus recherché –, il essaie tout. Travaux toujours désespérés et souvent désespérants puisqu'ils permettent à peine de vivre. De temps en temps, un rêve optimiste – né peut-être sur les quais, tandis qu'un rayon de soleil inattendu, rompt la parfaite tristesse de Paris – lui donne l'idée d'obtenir une aide de l'Espagne. Qui sait ?

La chronique musicale constitue un premier moyen et Falla se propose à Madrid comme critique correspondant. *Je crois que ces chroniques pourraient avoir un réel intérêt artistique car Paris est l'un des centres musicaux les plus importants d'Europe ; quant à la forme littéraire, elle est chose nouvelle pour moi, mais je prendrais le conseil de personnes véritablement compétentes.* Cette lettre est l'expression de l'autre face de son caractère, très voisin d'un ascétisme et d'une humilité qui frise parfois le ridicule, à force de vouloir effacer toute présomption. Il n'est pas étonnant que ce ton ait attiré la malchance qui fit jeter à la corbeille la demande de Falla.

Un autre Espagnol se trouve aussi à Paris, vivant un peu à l'écart du cercle d'Albeniz. Pianiste de grand talent et harmonisateur de mélodies populaires, Joaquin Nin collabore régulièrement à différents quotidiens de Barcelone en même temps qu'il commence ses tournées en France et à l'étranger ; Falla a tenté de l'imiter mais avec moins de chance.

On a dit, en parlant de Nin, que « Maurice Ravel, Albeniz, Turina dès son arrivée à Paris, puis Falla et ces trois aînés deviennent ses intimes ». Rien ne prouve que ce soit exact en ce qui concerne Falla. Mais ils se sont connus et Falla a eu l'occasion de rendre visite à ce pianiste que les dames se disputaient.

Le second moyen est de demander une subvention à la commission espagnole pour le perfectionnement des études (« Junta Española para la ampliacion de estudios ») qui est alors présidée par M. Ramon y Cajal. La pétition a pour objet une « pension à l'étranger ». Falla imagine un moment l'extraordinaire bonheur que seraient quelques mois sans préoccupations économiques, avec des subsides même modestes, mais réguliers. Il n'obtient pas de réponse.

Il reprend alors une œuvre commencée à Madrid et la termine au bout de quelques semaines. Ce sont les *Quatre pièces espagnoles*. Dès qu'elles sont achevées, son premier souci est de les faire entendre à ses amis. A son grand étonnement, Dukas, Debussy et Ravel proposent à l'éditeur Durand de les publier. C'est un premier remède à ses difficultés en même temps qu'un hommage à son travail. De cette initiative, on peut déduire que l'estime purement confraternelle de ses amis devient un intérêt véritable et généreux pour sa musique. Durand en acceptant de l'éditer, le confirme dans sa résolution de rester en France. Au mois de novembre de cette même année 1908, c'est Ricardo Viñes qui donne la première audition de ces pièces dans un concert de la Société Nationale de Musique.

Les *Quatre pièces espagnoles* inaugurent chez Falla une étape importante. Assimilation de la technique d'Albeniz et, à travers elle, synthèse de la tradition antérieure Barbieri – Breton – Chapi – Pedrell. Assimilation de l'influence impressionniste de Debussy et de Ravel (qui, comme Albeniz, représentent cette dernière manière du romantisme) et, à travers elle, première relation étroite avec ses contemporains non espagnols. Falla se situe ainsi par rapport à la musique européenne et non pas seulement comme un élément espagnol.

En même temps que cette double assimilation, les *Quatre pièces* marquent déjà les caractères propres à Falla – qui se développeront dans les œuvres futures – et l'affirmation d'une volonté esthétique, neuve en ceci qu'elle s'éloigne à la fois de la position de Pedrell (le document folklorique avant tout) et de celle d'Albeniz (aucun document populaire).

Ces pièces supposent donc la connaissance d'Albeniz – sans qui Falla est inexplicable historiquement – et des impressionnistes.

Quand nous pensons à Albeniz, nous ne pensons pas à l'Albeniz qui écrit cent petites pièces par an et que l'on retrouve dans les œuvrettes de l'adolescence de Falla, mais au musicien adulte et puissant de « Iberia », ces quatre cahiers de pièces pour piano où il est tout entier et donne le meilleur et le plus achevé de lui-même. C'est là l'antécédent de Falla et la publication de ces pièces marque l'accession de certains éléments typiquement espagnols à la musique universelle.

Des musiciens espagnols comme Victoria, Morales et Guerrero au XVIe siècle, ou le Padre Soler au XVIIe ne présentent pas de différences caractéristiques, pas de moyens originaux par rapport aux autres créateurs de l'époque. La valeur musicale de leurs œuvres est indépendante de toute dénomination nationale. A travers elles, ils se manifestent en tant que musiciens universels. Ils sont espagnols comme Josquin est français, Vivaldi italien ou Bach allemand, c'est-à-dire qu'ils ne sont pas espagnols par la forme, puisqu'ils n'ont aucun lien avec la musique populaire ou le folklore. Ils représentent l'esprit d'un peuple, non son visage. Dans l'art, l'élément folklorique déterminant la forme n'apparaît qu'avec le Romantisme.

Ainsi, jusqu'au XVIIIe siècle, l'Espagne se maintient sans conflit au même niveau que l'Europe, au moins quant à la nature de sa musique.

C'est avec Albeniz que, pour la première fois, certains éléments espagnols mis au service d'un « esprit » – national, dans l'ensemble – peuvent revendiquer le titre de musique savante.

La première tentative sérieuse a été celle de Barbieri, au début du XIXe siècle. Il est à *l'origine* de la musique « nationaliste » espagnole et reprend, dans un certain sens, les estimables hardiesses du napolitain Domenico Scarlatti, qui ne craignait pas d'utiliser divers procédés empruntés à la lyrique populaire ; mais Barbieri est resté sur le terrain de la « zarzuela », sans pouvoir aller plus loin.

La seconde, qui a échoué faute d'être soutenue par un véritable génie créateur, est celle de Pedrell.

La troisième est celle des auteurs de « zarzuelas », Breton et Chapi qui essaient de créer un opéra espagnol.

Il faut noter, en passant, l'effort de Enrique Granados, produit tardif du spleen romantique. Il est, comme Albeniz, excellent pianiste. Il y a de la vraie musique dans certaines

Granados

de ses œuvres comme les « Canciones amatorias », « Tona-dillas » et l'opéra « Goyescas », mais une musique qui ne peut laisser de traces. Granados a voulu faire tenir la musique dans un mouchoir et il a trop pleuré. C'est un épigone du romantisme allemand qui s'est attaché à quelques « idiotismes » de la musique espagnole dont une analyse minutieuse montrerait encore quelques réminiscences dans *La vie brève*. Malgré des moments d'une beauté mélodique et d'une richesse harmonique indiscutables, l'œuvre de Granados ne joue pas un rôle historique déterminant.

A partir de « Iberia » qui exprime le lien définitif avec la musique européenne, nous identifierons toujours une musique espagnole, c'est-à-dire une musique différenciée. Ses éléments s'organisent autour d'une esthétique impressionniste, mais Falla ira plus loin. La matière n'est pas encore épuisée. Quelques années à peine après le mouvement russe, et prenant comme lui ses origines dans le XIXe siècle, c'est un mouvement équivalent qu' « Iberia » inaugure et, avec lui, des procédés nombreux, un langage nouveau que nous appelons Espagnol, s'introduisent dans la musique occidentale. Albeniz obtient ce que Breton, Viñes ni Chapi n'avaient pu obtenir, et, avant eux, Barbieri ni Pedrell – sur un plan plus élevé.

Albeniz est le rhapsode, l'improvisateur par excellence. Le dernier rhapsode romantique. Il est inexact qu'il ait puérilement compliqué l'écriture de ses œuvres pour se donner à lui-même un effet de complexité. La complication de quelques-unes de ses pièces est pianistique, due à son débit torrentueux, plutôt qu'à une volonté d'imposture.

Sa personnalité est d'autant plus attachante qu'il est incapable de cette imposture. Albeniz avait toute l'objectivité voulue et connaissait parfaitement sa situation par rapport à la musique de son époque. Il savait bien que son œuvre était imparfaite, mais il savait sûrement aussi que ses qualités intrinsèques le sauvaient définitivement. Il est ce musicien intuitif dont les impressionnistes admiraient les contrastes : son peu de souci de la perfection, sa faculté d'improvisation quasi surhumaine, sa facilité gaspillée et son incapacité pour la construction longuement méditée. Ses rapports avec le folklore sont théoriques : ils reposent sur une idée et ne sont pas la relation directe de la source à la composition comme chez Pedrell, qu'Albeniz jugeait avec dédain en tant que compositeur et au sujet duquel il eut d'âpres discussions avec Falla.

On observe surtout que c'est le piano qui donne naissance à l'œuvre d'Albeniz. Comme celles de Chopin, ses compositions restent un exemple d'improvisation corrigée. Même dans les pièces les plus réussies de « Iberia », on reconnaît l'improvisateur, au piano, qui s'abandonne au plaisir de se laisser conduire dans une certaine mesure, par les idées. Pas de mots plus justes que ceux de Collet : « Si leur harmonie n'est point pauvre (il parle aussi de Granados) c'est, encore une fois, que les quatre doigts principaux devaient toujours s'occuper, et qu'ainsi, nul doigt ne s'écartant de la touche, aucun « trou » ne pouvait apparaître dans les quatre parties de l'harmonie. » Albeniz se laisse conduire par l'instrument.

Son style éminemment harmonique se veut polyphonique, en même temps : non pas en contrepoint mais sous la forme de plusieurs voix très libres qui composent l'harmonie, provoquant souvent de fausses relations entre accords et notes de passage, en utilisant en abondance la 7e et la 9e de dominante.

Cette harmonie dense, chargée, qui frôle dangereusement l'excès et rend certaines œuvres presque inabordables (Blanche Selva réclamait souvent la troisième main qui lui manquait) nécessite une écriture en trois plans (à laquelle correspondent souvent, comme chez Debussy, trois portées) :

A LA BASSE, l'éternelle note pédale qui souvent, tout en se modifiant, tonique ou dominante, persiste dans un épisode suivant et provoque toutes sortes de dissonances.

AU CENTRE, les parties intérieures inspirées tantôt par une nécessité de remplissage, tantôt par une volonté presque désespérée de maintenir entre les voix tous les contacts possibles par un mouvement permanent qui ne s'immobilise que dans le dernier accord de l'œuvre : secondes majeures et mineures, 7e qui durent des mesures entières.

A LA PARTIE SUPÉRIEURE, la ligne mélodique – qui n'est pas toujours claire et simple – harmonisée en même temps en une sorte de surharmonie.

Parfois tout se complique d'une pédale intérieure commune aux parties polyphoniques. Celles-ci acquièrent une liberté de mouvement qui va jusqu'à une franche indépendance par moments.

Les modulations, souvent par enharmonie, sont osées, très belles. Le goût pour les surprises tonales (emploi inattendu d'accords de tonalités lointaines) se manifeste dans toutes les directions possibles et l'utilisation de cadences inusitées donne une couleur particulière à l'harmonie.

La forme n'est pas conçue comme un développement. Le discours musical est le fait d'un déplacement tonal et de l'amplification d'une cellule : la phrase principale, le sujet, se déplace suivant la chaîne des quintes (souvenir de Vincent d'Indy), faisant très souvent d'une œuvre une progression harmonique quasi permanente. Comme un écho lointain de la forme sonate, quelques pièces sont constituées par l'opposition de deux thèmes, l'un masculin et l'autre féminin et un groupe de cadences se présente immanquablement comme période terminale. Le rythme, toujours intéressant, est rarement lourd. Il constitue la charpente, la structure de l'œuvre ; certaines pièces ne sont que la diversification et la croissance constante d'une seule cellule rythmique qui se développe et prend de nouveaux aspects. La pédale, même, peut être pédale rythmique et, dans ce cas, les syncopes y abondent.

Le fil conducteur correspond toujours à la mélodie, d'un chaud lyrisme, même dans les moments où la plus grande retenue est imposée par l'indication caractéristique « dolce ma sonoro ».

Nous avons dit qu'Albeniz s'inspirait de l'impressionnisme. En toute rigueur, il s'agit d'un dénominateur commun à l'époque et indépendant d'une volonté créatrice : Albeniz rejoint Debussy et Ravel là où l'esthétique consiste à suggérer, et il fuit toute éloquence rhétorique. Et là aussi où la technique utilise certaines gammes découvertes par Debussy, qui évoquent d'une façon lointaine des modes orientaux, ou du moins, qui se veulent tels. Une esthétique de l'évocation et du mystère est, pour lui, comme pour Debussy, un prétexte à la création. Une esthétique de l'allusion.

Quant à l'esprit « national », Debussy, dans sa musique d'inspiration espagnole, montre comment il faut utiliser les éléments d'origine populaire. Falla note à ce propos que, dans ces œuvres, il y a *la vérité sans l'authenticité puisqu'il n'y a pas une seule mesure tirée du folklore espagnol et cependant tout le morceau, jusque dans ses moindres détails, évoque l'Espagne.* Albeniz confirme ces intuitions, en observant que le musicien français domine la substance et exprime à la française ce qui est espagnol. (Le paradoxe n'est qu'apparent : un créateur peut-il exprimer par la musique les caractéristiques d'une race qui n'est pas la sienne ?)

Ce dénominateur commun est à tel point basé sur un impératif inconscient qu'il est démenti par les goûts mêmes d'Albeniz qui admirait le sens architectural de Dukas et d'Indy – sûrement par contraste avec sa propre personnalité – tout comme l'art parfait de Fauré dont il fut l'ami malgré leurs dissemblances et chez qui nous le rencontrons souvent. Il méprisait, en même temps, la recherche du pittoresque chez Chabrier.

Au contraire, ce qui le différencie de l'impressionnisme, c'est sa condition de musicien espagnol, tout autant que son caractère affirmé d'improvisateur, pôle opposé de la préoccupation formelle permanente de Debussy et de Ravel.

Les *Quatre pièces* de Falla sont à la fois affirmation – d'une volonté définitive d'être espagnol même s'il faut utiliser des thèmes populaires sans se préoccuper de l'exactitude du document – et négation – de ce qui est, comme on l'a dit, un « *gaspillage fantastique* » chez Albeniz, qui « *prodigue sans compter ses largesses* ». Bref, négation de cette richesse exubérante, parce que Falla soigne la sobriété d'une forme irréprochable.

Albeniz, beaucoup plus que les impressionnistes, est indispensable pour expliquer cette œuvre de Falla. Ce n'est pas sans raisons que lui sont dédiées ces pièces dont le style s'éloigne nettement de celui de « Iberia ». Mais l'important, la grande innovation de cette œuvre, c'est la synthèse qu'elle réalise : Albeniz + impressionnisme. Cette fois, Falla est un Albeniz modifié qui regarde Ravel de côté et admire Debussy, tandis qu'il voit s'entrouvrir, au loin, une porte qui lui était jusqu'alors fermée : une musique sans époque et sans géographie, une musique pure, désormais détachée de l'accidentel et qui sera le fruit de ses ultimes travaux, le point culminant de ses œuvres postérieures, la cime de la montagne. Albeniz a été dépouillé de sa densité et aussi de la richesse de sa mélodie.

Falla n'improvise pas, ne risque pas une seule note sans l'avoir auparavant examinée sous toutes les perspectives possibles. A l'esprit du moment, il oppose l'esprit du temps. Première différence fondamentale avec Albeniz dont il commence déjà à s'éloigner : une aspiration au durable qui le distingue tout à fait de son aîné.

Ainsi, Albeniz prend place dans la musique occidentale sur le plan de l'intuition plutôt que de la science, avec plus d'imagination et de talent que de génie créateur ; Falla, lui, est conscient, adulte. Albeniz était venu à Paris poussé par une nécessité inconsciente et obscure ; à l'instinct de conservation qui les animait l'un et l'autre s'ajoute, chez Falla, la lucidité de quelqu'un qui sait ce qu'il veut.

Esthétiquement, Falla ouvre une voie nouvelle, choisit une position de compromis qui consiste à prendre des airs populaires pour les modifier à sa guise, suivant un vouloir qui impose ses idées et sa forme. Esthétique basée sur l'idée d'art national sans recours nécessaire à la source, et sur l'acte créateur individuel.

A cette esthétique nouvelle correspond une technique nouvelle : aux procédés impressionnistes et à ceux inspirés d'Albeniz, s'ajoutent d'autres, plus personnels. Le langage de Falla est la conséquence logique de ses pièces d'adolescence et de *La vie brève*.

ARAGONESA, MONTAÑESA, CUBANA, ANDALUZA.

Dans la première, c'est le rythme de « jota » et son accentuation sur le 3ᵉ temps qui crée le climat, après les accords ravéliens de l'ouverture. La pédale qui est souvent, pour Albeniz, un moyen d'échapper à la recherche, au travail créateur, et de justifier une harmonie quelconque, est ici employée avec sobriété et avec le même soin que dans les œuvres antérieures.

La seconde est marquée par le rythme et le caractère non-chalant des chansons populaires cubaines ; on y retrouve l'alternance 3/4, 6/8 que nous avons vue dans *Los Amores de la Inès* et qu'Albeniz exploite déjà dans certains numéros de « Iberia ».

Dans ces deux premières pièces l'air populaire est seulement évoqué. Dans la *Montañesa*, au contraire, Falla utilise une chanson de Santander (province que l'on appelle aussi la *Montaña*) connue sous le titre de *La Casa del señor Cura* (La maison de M. le Curé). Le sous-titre de *Paysages* est une note impressionniste : le musicien décrit moins un paysage que son état d'âme devant ce paysage ou le souvenir qu'il en a gardé. Pour la première fois, sous le prétexte d'évoquer un son de cloche – prétexte qui réapparaîtra plus tard – les accords s'enrichissent de quelques harmoniques inhabituelles.

La dernière pièce est un retour à l'esprit de la *Sérénade andalouse* des débuts. Elle est basée sur deux cellules rythmiques.

C'est dans cette pièce que les procédés harmoniques et formels de Falla nous intéressent, tout spécialement dans leurs rapports avec la musique andalouse. Ici, le langage tonal abandonne complètement celui d'Albeniz et cesse de longer la zone impressionniste ; il suit son chemin propre, que les trouvailles faites treize ans plus tôt frayaient déjà.

La gamme andalouse des premières pièces se présente maintenant comme l'un des aspects, le plus courant, d'une gamme générale majeur-mineur qui produit ainsi une sorte de chromatisme défectif. Il ne faut pas la confondre avec l'altération des modes, à la manière de Schubert car elle rassemble l'emploi des deux modes en une même gamme. Nous pouvons l'extraire de l'œuvre, en tenant compte des degrés mobiles :

Parmi les différents aspects qu'elle peut prendre, deux sont les plus représentatifs, dans lesquels prime la disposition descendante, caractéristique de la musique andalouse :

Harmoniquement, ceci donne cette descente parallèle, d'allure parfaitement espagnole : la cadence de la basse est caractéristique de la descente de seconde mineure que nous avons trouvée dans *La vie brève*.

Une seconde comparaison, sur le plan mélodique, confirme une esquisse contenue elle aussi dans *La vie brève* : la note-pivot autour de laquelle se développe la mélodie. Ici, nous la retrouvons dans le pôle tonal :

De plus, maintenant, s'instaure avec netteté le respect de l'ambitus de sixte, fréquent dans la musique populaire ; la ligne mélodique est ainsi réduite.

Voici donc établis quelques procédés de base qui sont un point de départ pour Falla, et nous permettent de constater que sa musique repose sur une théorie romantique tonale-harmonique : c'est pourquoi Falla va devoir élaborer une nouvelle théorie de sa musique.

A l'origine, on peut faire un parallèle entre lui et Schœnberg, Bartok, Stravinsky, Hindemith ; tous sont enfants du XIXe siècle, bien que marqués par des formations et des influences différentes suivant leur nationalité et leur personnalité. Ils sont tous partis du romantisme.

C'est à une mise en valeur du système tonal traditionnel que Falla s'essaye dans les meilleurs moments de ces pièces. En deux coups de génie, il rompt le plan habituel. Ce retour à la tonalité principale, dans la *Montañesa*, en est un bon exemple :

En 1909, Falla termine une patiente et longue révision de *La vie brève* qu'il avait entreprise, profitant du temps mort que lui laissait l'ajournement de la décision de l'Opéra Comique. Puis, enthousiasmé par la publication des *Quatre pièces* qui vient d'avoir lieu, il met en chantier une autre œuvre qu'il terminera rapidement : *Trois mélodies*, sur des poèmes de Théophile Gautier, achevées la veille du jour où il se produit pour la première fois devant le public parisien, salle Gaveau, aux côtés de la cantatrice Ada Adiny. C'est à elle qu'est dédiée la première pièce et à Madame Debussy la troisième, en signe de reconnaissance.

Deux des poèmes utilisés *(Les Colombes, Chinoiseries)* appartiennent au recueil « La Comédie de la Mort » ; écrits par Gautier en 1838, ces poèmes figurent dans de nombreuses anthologies postérieures. Le troisième, *Séguidille*, est tiré du recueil « España » (1845).

Cette œuvre constitue un exercice pour le traitement du chant en français (Falla ne va pas jusqu'à accepter l'accentuation française du mot « Manola », qui rompt le rythme), et un hommage au pays qui l'accueille. Elle clôt la période d'assimilation.

Une ultime allusion à Albeniz, non seulement à celui de « Iberia », mais surtout à l'Albeniz moins connu des « Quatre mélodies » (sur un texte de Couts, traduit par Calvocoressi). Et Falla reprend la ligne Fauré-Debussy ; son langage personnel reste dans le ton impressionniste.

Il nous donne aussi, pour la première fois, un aperçu des méditations que lui ont suggérées le livre de Lucas. Elles se réunissent dans la formule mélodique qui aura plus tard sa prédilection et que nous trouvons au début de la première mélodie :

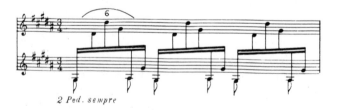

2 *Ped. sempre*

D'autres procédés personnels s'ajoutent à celui-ci : le schéma rythmique de la troisième mélodie, le plan général des modulations.

Pour la première fois, dans *Séguidille*, l'octosyllabe apparaît, que Collet avait déjà remarqué chez Albeniz. C'est le vers du « Romancero », caractéristique de la mélodie espagnole.

L'impressionnisme réside surtout dans quelques accords de 9e et dans l'emploi d'un ou deux procédés debussystes, beaucoup plus que dans la sixième ajoutée observée par Jankélévich, et qui compte plus pour la vue que pour l'oreille.

Tandis que Falla travaille à ces *Trois mélodies*, Debussy s'occupe des répétitions de « Pelléas », à Londres. Albeniz est malade depuis son retour de Florence, l'année précédente. Le 2 avril, il part avec sa fille pour les Basses-Pyrénées et il meurt à Cambo, le 18 mai. Moins de deux ans après l'avoir rencontré, Falla perd celui qui fut peut-être son meilleur ami, par sa générosité et son tempérament.

Au début de 1910 – en février – les Concerts Colonne donnent la première posthume de « Catalonia », la seule œuvre

Edouard Colonne

orchestrale d'Albeniz qui soit achevée et à laquelle la main habile et condescendante de Dukas n'est pas étrangère. Un peu plus tard, en mai, Viñes fait un voyage en Espagne pour donner quelques concerts, dont un de musique moderne (Debussy, Ravel, Schmitt, Albeniz) qui a lieu à l'Athénée de Madrid. On y joue pour la première fois en Espagne les *Quatre pièces espagnoles* qui seront interprétées ensuite dans plusieurs autres villes.

Quelques mois plus tard, en plein été – c'est l'hiver en Amérique du Sud – le 2 août, Pedrell, Serrano et Breton quittent l'Espagne. Ils lancent une expédition « opéra » vers Buenos-Aires. Les programmes ont oublié *La vie brève*, mais Falla, non. Cette nouvelle, par ce qu'elle avait de décevant, dut l'aiguillonner. L'offensive recommence à l'automne, tandis que Pedrell revient précipitamment à Barcelone : auditions privées, nouvelles allés et venues. Pour le moment, rien ne laisse entrevoir un aboutissement.

1910, pour Paris, c'est l'année du grand succès des ballets russes.

Le mouvement russe commence en 1906 avec une exposition de peinture et gagne rapidement tout Paris. Après une série de concerts dirigés par Rimsky-Korsakov et Nikisch (1907), après le choc produit par le « Boris » de Moussorgsky, interprété pour la première fois par Chaliapine en 1908, après les premiers ballets de Diaghilev en 1909, le triomphe de cette année va tout éclipser. Chorégraphes, décorateurs, ballerines passent au premier plan. L'art de Nijinsky, de Fokine, de Bakst et de Diaghilev reçoit une consécration enthousiaste. Le courant qui l'entoure exerce son influence jusque dans les vêtements, les meubles, et l'art russe devient à la mode. Diaghilev se décide pour la première fois à demander aux musiciens contemporains d'écrire pour sa troupe. C'est l'origine de « L'Oiseau de Feu », dont la première a lieu cette année-là, amenant Stravinsky à Paris.

Avec « L'Oiseau de Feu », un renouveau total dans les décors et la chorégraphie, dans l'esthétique même du ballet, annoncent l'ouragan – Stravinsky qui va balayer complètement la musique impressionniste ; son œuvre, comme celle

de Diaghilev, pénètre partout et son influence gagne les jeunes de la dernière génération.

Pour Falla, c'est l'année de son installation – définitive enfin, à l'hôtel Kléber, au sortir d'une pension de Neuilly où il s'était réfugié, fuyant un apprenti violoniste qui lui rendait la vie impossible dans un autre hôtel. Turina s'est marié et a quitté l'hôtel ; Falla reste le maître absolu du piano et jouit de sa solitude.

L'édition de Durand est suivie par celle des *Trois mélodies*, imprimées par Rouart, Lerolle et Cie. Avec cela, le nécessaire se trouve assuré. Les grosses difficultés ont disparu et, s'il vit modestement, Falla peut au moins compter sur le pain de chaque jour et peut-être même sur quelque dessert, le dimanche. Comme Dukas, comme Debussy et Ravel, Falla continue la route, qu'il a prise lentement et avec retard par rapport aux Français, sans s'occuper du tourbillon de Stravinsky. Peut-être, comme Debussy, félicite-t-il une fois le musicien russe ; mais il regarde tout cela du dehors.

Bien qu'elle se renouvelle aussi, la musique de chambre, autre planète, se tient loin du mouvement symphonique. La « Société nationale » ouverte au début à toutes les tendances, puisqu'elle avait donné à Debussy le moyen de se faire connaître du public, devient de plus en plus inaccessible. En signe de protestation, un groupe de jeunes fonde la « Société musicale indépendante », sous le patronage de Fauré. C'est l'aboutissement naturel de l'effort libérateur de Debussy et d'autres créateurs mineurs qui rencontrent mille difficultés pour faire connaître la musique de chambre, toujours menacée par le doigt conservateur et sévère de Vincent d'Indy.

Falla se trouve parmi les promoteurs avec Ravel, Delage, Schmitt et d'autres Français. La fondation de cette Société marque la séparation définitive entre debussystes et d'indystes. Leurs discussions avaient commencé à la première de « Pelléas » et s'amplifièrent âprement, atteignant un maximum au moment de l'arrivée de Falla à Paris, avec la publication de « Ariane et Barbe-Bleue » ; elles se prolongeront, de moins en moins justifiées, entre debussystes et ravéliens.

de Saint-Saëns à Ravel, chez Godsek.

La « Société indépendante » vient mettre fin à toutes les controverses. Ses fondateurs, et d'Indy par ailleurs, eurent toujours l'intelligence et la délicatesse de ne pas se mêler à des polémiques insensées ; mais les deux tendances esthétiques formaient une opposition objective qui exigeait une solution. La « Société », outre sa défense de la musique de chambre opposée à la musique symphonique, se propose d'aider les créateurs indépendants des recettes et de l'académisme.

Au cours du second concert, Falla donne ses *Trois mélodies.* Plus tard, le 10 novembre, au Havre, il prend part à une audition de musique espagnole où l'on joue des quatuors de Perez Casas et de del Campo et des mélodies et œuvres pour piano de lui-même, d'Albeniz, Turina, Pedrell, Villar et Morera. A cette occasion, il fait la connaissance de Georges Jean Aubry, organisateur de concerts et critique français qui lui sera souvent utile.

Au cours de l'année 1911, la « Société indépendante » a des contacts réguliers avec le public auquel elle s'efforce d'offrir le meilleur de la nouvelle musique de chambre. Entre autres auditions, le 16 janvier, dans un concert consacré à des œuvres de Satie, Ravel joue à quatre mains avec Viñes, les « Morceaux en forme de poire ».

Rameau solitaire de l'arbre impressionniste, dont il se détachera plus tard, Satie continue son œuvre singulière et admirable. Ce concert, comme celui qui comprenait les mélodies de Falla, est la preuve que toutes les tendances authentiques et libres sont acceptées dans la nouvelle Société.

Notre homme reprend ses démarches pour faire jouer *La vie brève* mais avec moins d'ardeur qu'au début. Trois ans de recherches inutiles et la conviction que tôt ou tard, l'œuvre serait portée à la scène ont calmé son impatience mais rendu son attente plus confiante. *Peut-être vous étonnerez-vous de la sérénité avec laquelle je suis cette affaire*, dit-il à Shaw dans une lettre du début de l'année, *puisqu'avant je ne voyais pas venir le moment où elle aboutirait ; c'est que cette sérénité vis-à-vis des choses de l'art, je l'ai acquise ici, par l'exemple qu'en donnent les grands maîtres.*

Le 24 mai, il donne un concert à Londres, invité par Louis Laloy. C'est son premier voyage dans la capitale anglaise. Il joue ses *Quatre pièces* et, avec le pianiste Franz Liebich, « Iberia » d'Albéniz dans un arrangement pour deux pianos qu'André Caplet a fait d'après la partition publiée quelques mois plus tôt.

A son retour, il apprend que Shaw est mort, le 7 juillet. Cela aurait dû lui ôter tout souci quant à *La vie brève* ; mais la possibilité entrevue de représenter son opéra à Bruxelles repose le problème. Il fait un voyage rapide dans cette ville avec Milliet et donne une audition – de celles qui devaient le laisser terriblement fatigué – devant plusieurs musiciens et le directeur du théâtre de la Monnaie. Résultat nul, retour précipité.

Revenu à Paris, il fait la connaissance de « Mélisande » et rêve d'une métamorphose : *Je donnerais n'importe quoi pour que ce soit Mary Garden qui crée un jour « La vie brève »,* écrit-il à la veuve de Shaw. Évidemment, Mélisande ne devait jamais être Salud ; cette idée ne fut qu'un fervent désir : la cantatrice entendit l'opéra avec plaisir mais ne se décida pas pour autant à le chanter.

Une autre cantatrice célèbre, Lucienne Bréval, dut recevoir Falla à cette époque-là, tout d'abord pour entendre l'inévitable *Vie brève*, et ensuite, pour se voir exposer l'étonnant projet d'une nouvelle « Carmen » inspirée du roman de Mérimée mais sans les transformations que Bizet lui avait fait subir. Encouragé par le critique Pierre Lalo, Falla alla jusqu'à se rendre auprès de la veuve de Bizet pour lui faire part de son projet d'une *Mort de Carmen* ; la veuve et son second mari, un bouillant M. Strauss, considérèrent que c'était une profanation et un indigne attentat à toutes les pudeurs.

Ce projet, et celui de faire un nouveau « Barbier de Séville », tombèrent dans l'oubli et Falla abandonna l'idée de refaire les opéras les plus célèbres. Mais projets et auditions ne furent pas tous inutiles. Entre ses voyages et malgré toutes ses démarches, Falla donne forme à une œuvre commencée à l'époque des *Trois mélodies* et qui sera comme une application symphonique de ce style semi-impressionniste. Il note ses idées et les accumule avec l'intention de faire plusieurs Nocturnes pour piano qui seront finalement écrits, suivant une suggestion de Viñes, pour piano et orchestre.

Tandis que Falla, loin de son opéra, se plonge dans cette nouvelle entreprise, Pedrell, en Espagne, prend enfin pleinement conscience de sa triste condition : « Il n'y a pas de remède pour les condamnés. Nous vivons une période de transition. Nous traînons un passé de misère politique, économique et intellectuelle et nous ne sommes pas préparés pour jouir d'un commencement de liberté, de richesse, d'intelligence qui... sans doute, va se faire jour peu à peu, je veux le croire. De même que nous souffrons tant parce que les gens d'aujourd'hui ne savent rien de cette souffrance et que ceux de demain n'y comprendront rien non plus, de même, nous ne pouvons pas savoir ce qu'ont supporté nos prédécesseurs, entourés de luttes, d'horreurs et de ténèbres encore plus épaisses que celles qui nous entourent. »

Falla, lui, est déjà loin de tout cela. Peut-être se souvient-il de son maître, noyé dans ce monde qui, de Paris, paraît si absurde ?

« Je connus Falla à Paris. Il y a trente-deux ans. C'était au mois de janvier (1912). Je venais d'arriver dans la capitale de la France. J'allai le chercher dans son gîte de l'hôtel Kléber, rue de Belloy, non loin de l'Étoile. C'était un hôtel tout à fait modeste. Le musicien habitait une petite chambre au dernier étage, qu'il payait un franc par jour. Le lit, le lavabo, le piano, un fauteuil, une armoire et rien de plus. Le jour où je fis sa connaissance, il était environ une heure lorsque je sortis avec lui pour le déjeuner auquel il m'invitait *Je déjeune tout près, dans un restaurant Chartier*, m'avait dit Falla. » (...) Un endroit très modeste. Nous entrons dans la grande salle et nous nous asseyons près d'une fenêtre qui donne sur l'avenue de la Grande Armée (...)

« En revenant à table, il m'avoua qu'il dépensait pour vivre la somme exorbitante de 5 francs par jour. Chétif, la tête moyenne, deux dents cassées, portant en toute occasion un complet noir très usé mais absolument net qui s'assortissait d'une cravate, noire elle aussi, Falla n'avait aucunement l'apparence d'une personne extraordinaire. J'avoue qu'il ressemblait plutôt, alors, à un garçon de courses ou à un sacristain de nonnes.

« Il parlait peu, et de choses dénuées de tout intérêt. Il souriait de temps en temps en laissant voir ses dents cassées. Entre deux poses, il me dit, sans aucun enthousiasme apparent qu'il préférait les compositeurs français – Debussy surtout – aux Allemands. Il me confia aussi son désir qu'il disait ardent bien qu'il l'exprimât avec froideur de vivre jusqu'à la fin de ses jours dans une maisonnette, à Grenade. »

Si l'entrevue eut lieu, cet article pris parmi tant d'autres, aussi bêtes, paraît au moins exact en ce qui concerne la description du physique de Falla. Tous les témoignages concordent. C'est aussi l'unique indication que nous ayons sur l'état de santé de Falla au début de 1912 : à peu près bon.

Peu après, sans que nous sachions exactement comment, il tombe gravement malade et doit être hospitalisé pendant plusieurs mois.

Nous pourrions trouver confirmation de cette maladie dans une interruption prolongée de sa correspondance.

Qu'arrive-t-il après février, combien de temps reste-t-il à l'hôpital ? Nous l'ignorons. En tout cas, son ascétisme le rend plus rigoureux encore après cette épreuve qu'il considère comme une malédiction divine. Si jusque là, il n'avait pas connu le problème moral, maintenant, le voici, et la solution est la fuite. A partir de sa guérison, son ascétisme devient une sorte de lâcheté, de crainte devant la colère de Dieu, en même temps qu'un ressentiment à l'égard du sexe.

D'une profonde sensualité, Falla entre en conflit – conflit qui sera permanent – avec ses propres tendances mystiques. Pour lui, la religion sera toujours synonyme d'un conflit douloureux mais purificateur. D'où le côté sombre de son caractère, ainsi que sa répulsion pour les réunions mondaines. Il reste, silencieux et seul, dans son hôtel, travaillant, sans profiter sur le plan social, des résultats que sa musique commence peu à peu à obtenir. Ses visites dans les salons ont toujours la musique pour objet précis, et il ne supporte pas longtemps le bavardage.

La purification apparaît dans des mouvements de bonne humeur, lorsque la lutte intérieure cède la place à la paix, avec toute la bonne grâce du naturel andalou. Par exemple, lorsqu'il envoie à Turina les *Quatre pièces* accompagnées d'une dédicace rimée qui fait allusion au mouvement impressionniste tout autant qu'à Vincent d'Indy :

Manuel de Falla le gaditain / avec ses plus profonds respects / dédie ce manuscrit à Turina le sévillan. / Et tu sais bien, toi, Joaquin / que ces quatre petites piécettes / ne sont que des « impressionnettes » / sans pieds, ni tête, ni fin. / On n'y trouve donc / ni « musique, ni plan / ni même de jolis coins, » / comme dit M. Vincent.

Falla a l'air d'un sacristain. Mais seulement pour ceux qui ne savent pas voir clair en lui. Une âme mystique lutte intérieurement contre les furies et les misères humaines, et il s'applique avec conscience à faire taire les cris de sa chair.

1912. Pour Ravel, c'est l'année de « Daphnis et Chloé », et pour Schœnberg, celle du « Pierrot lunaire », tandis que Bartok et Kodaly, tous deux dans la fleur de leur jeunesse, quittent la Hongrie et arrivent à Rome comme observateurs, dans un congrès de musiciens.

Laissant derrière lui les mois d'hôpital, Falla, en décembre, donne lecture de *La vie brève* à M. Farconnet, directeur au casino de Nice.

Pour Farconnet, cette audition entre dans un plan de concurrence au casino de Monte-Carlo. Les choses s'enchaînent comme par magie. Le moment est venu, pour Falla, de récolter les fruits de son travail. Le résultat de l'audition – à laquelle avait assisté aussi Messager, directeur de l'Opéra – est que la représentation aura lieu, en principe, à Nice au mois de février (au cours d'une saison qui comprendra « Don Giovanni », de Mozart, « Pelléas », de Debussy et « Ariane et Barbe-Bleue » de Dukas), et à Paris la saison suivante.

Au retour d'Évian, où l'audition avait eu lieu, Milliet le présente à l'éditeur Max Eschig qui lui offre un contrat inespéré pour l'édition de l'opéra, des *Nocturnes* qu'il est en train de composer et des œuvres à venir dans les deux prochaines années. Falla s'empresse d'accepter. Le plus important de l'affaire est une clause du contrat qui prévoyait, à valoir sur les droits d'auteur, le versement immédiat d'une première mensualité.

L'offre tombe d'autant mieux qu'elle a été précédée d'une autre que Falla n'aurait jamais pu accepter : Messager l'avait présenté au représentant de Ricordi à Paris et celui-ci lui offrait un voyage à Milan, à la condition d'aller y proposer son œuvre à l'éditeur italien. A la suite de ce voyage éclair, Ricordi loue beaucoup l'opéra mais offre à Falla la signature immédiate d'un contrat, s'il accepte de mettre en musique un livret à la Puccini qu'il lui propose. A l'étonnement de l'éditeur italien, Falla n'avait pas pu répondre oui.

Tranquillo

Salud Vivan los que rí — — en!

mueran los que lloran! — or

(La Vida breve)

Manuel de Falla

Paris 29·XII·913

Et ce n'est pas la seule affaire qui se présente durant ces mois-là : il vient à l'idée d'une dame – comme cela était arrivé à M. Money (!) Couts, le librettiste d'Albeniz – qu'elle pourrait écrire des livrets pour Falla. Elle regorge de ces papiers imprimés que le prénom du banquier contenait implicitement ; mais, pour Falla, la probité est une question de vie ou de mort et, de plus, il ne sait pas travailler à la hâte. Deux raisons qui, jointes probablement à la décision de renoncer à un nouvel opéra, l'empêchent d'accepter cette offre.

La probité de Falla n'est pas d'un genre banal. Il est incapable d'éviter les difficultés matérielles, quand sa liberté est en jeu, ce qui lui épargne les pièges comme celui où tombe Albeniz. Il n'accepte jamais qu'on décide à sa place quand, comment et pourquoi il doit écrire. Son œuvre est pour ainsi dire un secret ; il n'en parle qu'en termes vagues, jusqu'à ce qu'elle soit complètement terminée.

La réduction pour piano de *La vie brève* est faite à partir de la version définitive, soigneusement établie quatre ans plus tôt. Les modifications les plus importantes, par rapport à l'original, accentuent le manque d'unité du livret et améliorent de nombreux passages. Mis à part quelques détails, il y a trois modifications importantes : division en deux actes (sur l'indication de Milliet, pour augmenter les droits d'auteur !) et, pour la justifier, développement de l'interlude qui suit les deux actes ; suppression, grâce à une suggestion de Debussy, d'une page de la fin qui contenait une... malédiction des vieillards !

Tandis qu'Eschig imprime la partition, la date de la première représentation est reportée au 1er avril ; quinze jours avant, Falla part pour Nice et se consacre aux répétitions.

Une visite qu'il avait prévu de faire à Dukas, pour lui demander de superviser l'orchestration nouvellement revue, lui ôte les doutes qu'il pouvait encore avoir à ce sujet. Il va enfin voir représenter *La vie brève*, et savoir quel son rend cette œuvre. Dans le train qui l'emporte vers Nice, Falla se souvient peut-être de Debussy, disant qu'il donnerait tous les plaisirs de ce monde pour celui d'entendre un orchestre jouer pour la première fois une de ses œuvres. Ce jour est arrivé. Pour la première fois un orchestre symphonique va interpréter une œuvre de Manuel de Falla.

La vie brève tient l'affiche pendant les trois dernières semaines de la saison. Pour l'auteur, toujours obsédé par son humilité, le succès a été *supérieur à ce qu'il pouvait espérer et plus grand encore le soir de la première que le soir de la fête du* « Figaro », *où pourtant il avait été considérable.*

Falla est humble car il a une conscience *permanente* de l'éternité, conscience qui rappelle celle de Van Gogh, de Rilke, de Valéry. Falla sait, comme eux, que les applaudissements sont éphémères et qu'ils ne modifient pas l'œuvre. Et il sait aussi qu'au bout du compte, c'est une forme de mensonge. Un oubli de l'éternité.

Peut-être, beaucoup de ceux qui assistent, par un beau soir de printemps, à la première représentation de *La vie brève* – prétexte pour aller jouer plus tard à la roulette – sont-ils de retour à Paris, le 20 mai, pour une autre grande première, « Le Sacre du Printemps ». De même qu'ils ont applaudi une œuvre que son auteur n'écrirait déjà plus, ils sifflent avec fureur l'une des œuvres les plus importantes de l'histoire de la musique.

Comme précédemment pour « Tristan », comme pour « Pelléas », comme pour presque toutes les œuvres maîtresses de la musique – œuvres qui résument une époque en même temps qu'elles sont un modèle de technique - ce soir-là, au Théâtre des Champs-Élysées, la bêtise fut souveraine.

Quatre jours après la première du « Sacre », Turina dirige sans aucune timidité, salle Gaveau, sa « Procession del Rocio » (Procession de la rosée) qui est très bien accueillie.

L'été passé, Falla découvre que Carré, le directeur de l'Opéra Comique, dont il n'avait pas de nouvelles depuis des années, ainsi qu'Astruc, directeur du Théâtre des Champs-Élysées, s'intéressent à *La vie brève* pour la monter. Messager qui souhaitait, en principe, qu'elle soit montée à l'Opéra consent à ce qu'elle le soit ailleurs, mais il demande à Falla de modifier la partition et Falla inclut alors dans le second acte, la seule danse d'origine folklorique, à laquelle il ajoute un chœur. Le consentement rapide et aimable de Messager arrange bien les choses, mais il ne résout pas le conflit quant au choix de la cantatrice qui devait incarner Salud. Après beaucoup de discussions et de démarches par l'intermédiaire d'Eschig, on convient enfin que Lilian Granville, la cantatrice qui avait interprété *La vie brève* à Nice, chanterait « La Tosca » à l'Opéra Comique et que Mme Carré prendrait sa place.

Marguerite Carré

Ainsi, le subit intérêt de Carré paraît bien être, surtout, celui de son épouse qui désirait chanter *La vie brève*. Il est probable que Falla ne s'arrête pas à ce détail.

Cette solution définitive et l'arrêt d'une date pour la première (au début de l'année suivante) n'évitent pas un incident entre Milliet et Falla. Obligé de faire en de nombreux endroits un remaniement complet du texte, Milliet avait en effet décidé qu'à partir de ce moment, son travail n'était plus une traduction mais une adaptation du livret de Shaw, et il n'avait peut-être pas tort. Il le mentionne sur les épreuves de l'édition Eschig, que Falla reçoit pour les corriger. Un échange de vues commence, dans le calme d'abord, puis dans

Manuel de Falla

la nervosité, pour se terminer en velléités de boxe. Grâce à
l'intervention de Debussy, les relations redeviennent nor-
males et on arrive à une formule de transaction dans laquelle
le travail de Milliet est qualifié « d'adaptation française ».
Falla considère que les droits de son défunt ami sont saufs.

Pendant la période des répétitions de *La vie brève*, Arbos
et l'orchestre symphonique de Madrid se produisent dans le
théâtre d'Astruc, le 29 octobre, avec un programme éclec-
tique qui donne une place prépondérante aux auteurs espagnols. Programme symptomatique qui joint aux noms de Bartok, Haydn, Saint-Saëns et Dukas, ceux de Perez Casas, Arbos,
Del Campo, Turina et Albeniz.

TH. NATIONAL DE L'OPÉRA-COMIQUE

Bureaux à **7** h. **1/2** — Rideau à **8** heure

AUJOURD'HUI **MARDI 13 JANVIER** 1914

Sixième Représentation de l'Abonnement du Mardi *(Série A)*

LA VIE BRÈVE

Drame lyrique en 2 actes et 3 tableaux, de M. CARLOS FERNANDEZ-SHAW
Adaptation française de M. PAUL MILLIET
Musique de **M. MANUEL DE FALLA**

Mme **MARGUERITE CARRÉ**
Salud

M. **FRANCELL**
Paco

Mlle **BROHLY**
La Grand'Mère

M. **VIEUILLE**
L'Oncle Sarvaor

M. **VIGNEAU**
Le Chanteur

Mlle **SYRIL**
Carmela

M. **VAURS**
Manuel

M. **DONVAL**
Une Voix dans la Forge

Mme **BILLA-AZÉMA**
Une Vendeuse

Mlle **CARRIÈRE**
Une Vendeuse

Mlle **CAMIA**
Une Vendeuse

Mlle **JOUTEL**
Une Vendeuse

DANSES réglées par Mme MARIQUITA
Dansées par Mlles **MALAGUENITAS**
M. **Rafaël PAGAN** et le Corps de Ballet de l'Opéra-Comique
Costumes de M. MULTZER. — Décors de M. BAILLY

ON COMMENCERA PAR

FRANCESCA DA RIMINI

Drame en 3 tableaux, de M. FRANÇOIS-MARION CRAWFORD
Adaptation française de MARCEL SCHWOB
Musique de **M. FRANCO LEONI**

Mlle **GENEVIÈVE VIX**, *Francesca*

M. **FRANCELL**, *Paolo*

M. **BOULOGNE**, *Giovanni*

M. **DE CREUS**
Le Jardinier

Mme **BILLA-AZEMA**
Première Femme

M. **DELOGER**
Un Soldat

M. **DONVAL**
Un vieux Serviteur

Mlle **MARINI**, *Un Page*

L'Orchestre sera dirigé par M. RUHLMANN

Après le tourbillon russe, une petite brise espagnole. Mais le concert est un étalage de médiocrités, à l'exception d'une ou deux œuvres d'un réel intérêt. La science et l'art d'Arbos ne compensent pas, par exemple, ses ambitions de compositeur, ni ce choix d'une œuvre de Del Campo, d'un germanisme douteux. L'œuvre d'Albeniz, même, une transcription, est quelque peu discutable.

Debussy, plus enthousiaste que sévère, très intéressé par le génie d'Albeniz – il jouait alors presque tous les soirs une page de « Iberia » – se décide pourtant à écrire un article dans la revue de la Société Internationale de Musique. Il effleure discrètement les nouveaux compositeurs, s'attarde surtout à l'unique créateur espagnol du moment et se retient fort bien pour ne pas parler de Falla.

Les préparatifs terminés, la répétition générale de *La vie brève* a lieu le 31 décembre et le succès est égal à celui de Nice. La direction de l'orchestre est confiée à François Rulhman, qui avait dirigé pour la première fois, deux ans avant, « L'Heure espagnole » de Ravel, et qui fut considéré en France comme l'un des meilleurs parmi les chefs d'orchestre de théâtre. Falla devint son ami, enchanté par son intelligence et par son sens musical.

La série des représentations commence le 7 janvier 1914. Elles durent peu, quelques petits différends étant survenus avec la diva. Mais Falla a obtenu tout ce qu'il pouvait attendre de cette œuvre.

Une cantatrice espagnole, qui avait fait sa connaissance au cours des répétitions, se décide à lui demander conseil au sujet d'un programme de chansons qu'elle souhaitait interpréter dans un prochain concert. Il vient à l'idée de Falla qu'il pourrait peut-être préparer l'harmonisation de quelques mélodies populaires, et il lui promet d'y penser. Il avait déjà travaillé sur une chanson, suivant toutes les intuitions qui le hantaient depuis des années, depuis la lecture du livre de Lucas. Après les représentations de *La vie brève*, il se décide à travailler sur plusieurs courts documents populaires ; c'est l'origine des *Sept chansons populaires espagnoles*, composées en même temps que les Nocturnes pour piano et orchestre.

Falla et le folklore

Le folklore musical est l'une des formes par lesquelles le peuple fixe naturellement ses énergies, ce qui justifie la dénomination de « musique naturelle » employée par Pedrell, qui la reprend d'Oulibichef. Le peuple oriente, en musique comme en d'autres domaines, les manifestations que les sociologues appellent artistiques, mais qui ne le sont pas tout à fait. Tendant vers l'art, ces manifestations restent à mi-chemin. Pour qu'il devienne de l'art, il faut au folklore l'intervention d'un créateur. Un créateur qui utilise le folklore n'améliore pas celui-ci mais le transforme. La matière première a été traitée.

Il n'y a donc pas de gradation. Nous ne pouvons pas comparer la danse populaire hongroise et le résultat qu'obtient Bartok en l'utilisant. Entre les deux, la distance est infinie. Ces deux créations, l'une populaire, l'autre savante, se trouvent sur deux plans distincts qui ne se rencontrent jamais. En outre, Bartok, en prenant telle ou telle chanson ne la prend pas seulement, elle, mais en quelque sorte, toutes les chansons sous cette apparence. Il prend l'esprit dont la lettre, s'il l'utilise, n'est qu'une apparence occasionnelle. Si elle est inséparable – formellement, par analogie – de sa source, l'œuvre du créateur en est bien distincte et il en résulte une unité esthétique nouvelle.

La musique folklorique entre dans la catégorie de la musique universelle dès qu'elle cesse d'avoir des sous-entendus. Jusqu'à ce stade, elle comporte un ensemble d'éléments accessoires, nationaux ou locaux, implicites dans l'exécution et qui sont l'accident de sa substance : par exemple, la situation que représente une danse, les allusions du texte à des événements sous-entendus, les conditions de vie de l'endroit, l'histoire du pays, le moment de l'année où cette pièce est chantée ou dansée, etc...

C'est cela qui la rend typique, dans le sens le plus immédiat. Et tout ce qui est typique est négatif, s'il n'est pas transcendé. Un objet, aussi bien qu'une œuvre d'art, n'ont d'intérêt qu'à partir d'un certain degré d'éloignement de leur origine locale. Tout ce qui est typique comporte un morcellement, une réduction de valeurs. Dans la mesure où les éléments accessoires se multiplient, le folklore s'éloigne de l'art et, dans la mesure où il se débarrasse de ceux-ci, il se rapproche de l'art ; pour qu'il l'atteigne, l'intervention d'un compositeur est indispensable. Sinon, la proximité peut être très grande mais ne se change jamais en identification.

Le compositeur est le seul qui puisse réaliser l'éloignement des éléments accessoires pour parvenir à l'universalité, de telle façon que la valeur esthétique partielle se transforme en valeur esthétique absolue, accessible à n'importe quel auditeur.

C'est lui qui élimine ce qui conditionne l'œuvre, les éléments superflus, et libère l'énergie tout en gardant l'esprit pour lui donner forme. A partir de cela, nous parlons d'art (d'inspiration folklorique) et non plus de folklore.

Réalisée par un homme, cette transformation s'assimile alors à l'unité spirituelle de l'auteur, c'est-à-dire qu'elle exprime sa personnalité, une fois dirigées les forces des matériaux recueillis, et ne représente pas seulement le moment historique.

L'élément d'expression de la race que contient le folklore est d'une importance très relative, si la personnalité du compositeur est forte ; le créateur de l'opéra français est un Italien (Lulli), celui du romantisme allemand, un Flamand (Beethoven), le plus français des romantiques français, un Polonais (Chopin), tout comme le hongrois Liszt fait pour ainsi dire partie du mouvement germanique, et les opéras de Mozart sont des opéras italiens.

C'est que, en art, l'élément national ne vaut que comme dénomination. C'est un caractère formel et non substantiel. La personnalité du compositeur prend d'abord conscience de son ascendance nationale, et de l'époque et du moment historique dans une seconde et plus tardive étape. C'est pour cela qu'entre musiciens d'une même époque – avec ou sans source folklorique – il y a des points communs, même s'ils sont de nationalités différentes.

Les éléments qui les distinguent, par contre, sont aussi bien d'origine nationale que strictement personnelle. Ceci explique, chez Stravinsky par exemple, son indifférence quant à l'origine de ses idées et pourquoi il ne se préoccupe pas de savoir si tel ou tel thème est ou n'est pas d'origine russe, populaire ou « bourgeoise ». D'après lui, c'est sur sa personne et sur son époque qu'il faut mettre l'accent, et non pas sur sa race. Il est donc clair qu'un créateur peut utiliser diverses sources sans trahir : Bartok mêle ainsi le hongrois, le slovène, le roumain, le bulgare et jusqu'à l'arabe (dans sa « Suite » pour piano).

En somme, le folklore est une probabilité de l'art.

Or, tout folklore est, par définition, romantique et tonal. Considérons chacun de ces aspects, esthétique et technique.

Le folklore est romantique parce que, dans ses manifestations, le sentiment prédomine sur la forme (nous entendons romantique par opposition à classique, comme l'un des deux pôles possibles d'une création, selon que prime le subjectif ou l'objectif). Chez les compositeurs classiques, nous notons, comme Salazar l'a défini, « l'équilibre entre les forces centrifuges de la recherche d'expression et les forces cohésives de la volonté de forme ».

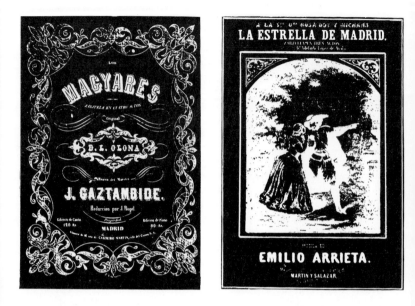

Faut-il en déduire que tout créateur d'inspiration folklorique est un romantique ? Sophisme facile à réfuter : l'attitude romantique ou classique n'est pas déterminée par l'origine des idées. Ce qui n'empêche qu'en général, un compositeur d'inspiration folklorique est romantique : son attitude implique qu'il mettra souvent l'accent sur l'élément national au détriment de l'élément universel et que cet élément national est forcément romantique. De plus, le culte de la forme suppose une abstraction qui estompe fortement l'esprit national et le réduit à un caractère ; chez les créateurs d'inspiration folklorique, c'est le contraire de ce qu'ils cherchent.

Par contre, l'aspect technique, le fait que toute musique folklorique est tonale, détermine d'une manière décisive, chez ces créateurs, un des aspects de leur langage au moins : tous se maintiennent en relation avec la théorie tonale harmonique du XIXe siècle, dont ils sont partis comme précédemment, les musiciens impressionnistes. Ils répudient cette technique inconsciemment (mais pas forcément plus tard), à la différence de musiciens comme Schœnberg qui, n'ayant aucun contact avec le folklore, font cette démarche consciemment.

A priori, on ne peut pas concevoir une musique d'inspiration folklorique qui soit en même temps dodécaphonique ou en tiers de tons, sauf si la transformation des matériaux est telle que l'idée originelle n'importe plus, sa substance et sa forme étant méconnaissables.

De même que le phénomène du folklore musical est accessible à un public tant soit peu sensible, à la condition qu'il appartienne à l'élément géographique évoqué, de même la musique savante d'origine folklorique est, grosso modo, plus facilement comprise de l'auditeur. Cette compréhension est d'autant plus facile que la transformation des matériaux originels est plus complète. Suivant les paroles de Salazar : « La musique basée sur la tradition populaire ou sur son évolution plus ou moins littérale et authentique semble laisser des traces dans le sens inverse de cette littéralité. C'est-à-dire que le signe + réduit le plan artistique aux sources de la création, et le signe — l'élève dans les zones les plus hautes de la création personnelle : le processus est donc celui qui va du pluriel anonyme à la singularité du génial. » Nous devons prendre ici « élever » comme une forme rhétorique et nous souvenir que la musique folklorique et la musique savante se situent sur des plans différents. Ce qui importe c'est que, si le travail de création est moindre, l'œuvre est plus près de sa source ; dans ce cas, le public comprend plus facilement que si le niveau est abstrait.

Le créateur dont l'œuvre part d'une recréation du folklore est un créateur par référence, à la différence du créateur qui « invente » sa musique, du créateur par objectivation, pourrait-on dire.

Le premier crée dans la forme, les procédés, la structure surtout. Le second, avant de créer cette forme crée déjà les idées.

SEGUIDILLAS

PARA CANTAR BOLEROS CON ESTRIVILLO

LA dulce tiranía
de la hermosura
rinde, triunfa, avasalla,
mas poco dura :
  y es la desgracia
que pasa desde el trono
á ser esclava.

  Es amor un deseo
que durar suele
el tiempo que se goza
lo que se quiere :
  pero en logrando,
lo que ántes agradaba
va fastidiando.

  Nace amor como planta
en el corazon,
el cariño la riega,
la seca el rigor :

  y si se arraiga,
se arranca al apartarle
parte del alma.

  Soñé que me querias
la otra mañana,
y soñé al mismo tiempo
que lo soñaba :
  que á un infelice
aun las dichas soñadas
son imposibles.

  Ojos mios, lloremos,
que es el arbitrio
que les queda á los tristes
para su alivio :
  lloremos tanto
que se aneguen mis ansias
en vuestro llanto.

Ten-

D'un point de vue idéaliste, le second est plus pur ; mais d'un point de vue artistique, son œuvre n'a pas plus de valeur a priori.

Le traitement de l'élément folklorique exige un travail plus lent que le traitement des idées originales. Surtout parce que, chez le créateur par objectivation, l'idée est née avec un élément formel : elle renferme la forme en puissance. En tous cas, il est évident que le traitement compte beaucoup, beaucoup plus que l'idée elle-même et c'est ce qui constitue l'art à proprement parler. C'est pourquoi Tchekhov dit qu'au théâtre, « la façon de poser un problème importe plus que le problème lui-même ».

Il y a plusieurs manières de réaliser la recréation folklorique. Nous pouvons appeler chacune de ces manières des « solutions » parce qu'elles permettent le passage du sociologique à l'artistique.

Le chemin direct consiste à recueillir (avec ou sans l'aide de la musicologie) des mélodies et des danses. Soit comme document musicologique, soit comme une forme possible du document, les matériaux folkloriques arrivent ainsi directement au compositeur.

Le chemin intuitif est celui de Debussy ou de Ravel quand ils font des œuvres d' « esprit espagnol », et celui d'Albeniz. Ils évoquent un pays déterminé sans avoir recours au folklore proprement dit. Dans ce cas, l'intuition est toujours plus sûre chez le musicien originaire du pays dont il s'occupe (l'Espagne, pour Albeniz, par exemple) que chez un musicien étranger (Debussy, qui « sent » l'Espagne à travers l'esprit français).

Quand le créateur national ou « nationalisant » suit le chemin intuitif – en s'éloignant du folklore – son attitude est, en général, une attitude d'admiration ; c'est l'attitude des Tchèques, des cinq Russes, de Grieg (qu'Albeniz détestait) et du XIXe siècle dans son ensemble ; l'admiration est forcée, attitude plutôt que nécessité véritable.

Par le chemin direct, nous pouvons réduire à trois, toutes les solutions possibles :

1. Le compositeur prend le document folklorique et centre sur lui tout l'intérêt de l'œuvre. Il se soumet à son caractère et à ses éléments additionnels. C'est ce que fait Pedrell, et il en résulte une solution fausse médiocre.

2. Le compositeur fait entrer le folklore dans l'orbite de ses procédés propres, créant un langage hybride – à partir de sa source et de ses idées personnelles. C'est le cas de Bartok et le cas de Falla jusqu'aux *Sept chansons espagnoles*.

3. Le compositeur se sert du folklore comme « agent réacteur » d'idées et, l'assimilant immédiatement, il en donne une expression abstraite. Le folklore, avant même de se manifester en tant que tel est devenu l'idée du compositeur. C'est ce qui se passe dans le cas de Stravinsky.

Les deux premières solutions ont déjà été éprouvées avant la venue de Falla : avant Pedrell, Barbieri a essayé, sans parvenir à un résultat définitif, la seconde solution, celle de la création mixte.

Falla part de cette dernière, qui est celle de ses compositions les plus connues et, dans ses dernières œuvres, il utilise la troisième solution.

Je pense modestement que, dans le chant populaire, l'esprit importe plus que la lettre. Le rythme, la modalité et les intervalles mélodiques qui déterminent leurs ondulations et leurs cadences constituent l'essentiel de ces chants et le peuple lui-même nous en donne la preuve en variant à l'infini les lignes purement mélodiques de ses chansons. C'est ainsi que Falla s'exprime, établissant sa position. C'est la deuxième solution, qui utilise le souvenir et ne recherche dans le document que les éléments essentiels et non l'accident.

Cette classification nous permet d'affirmer que la continuité qu'on a prétendu découvrir entre Pedrell, Albeniz et Falla est certaine quant à leur caractère national, mais fausse quant au chemin que chacun d'eux a pris et, par conséquent, quant à l'attitude de chacun d'eux en face de la musique populaire. Quand Falla arrive, en suivant le deuxième chemin, à *La vie brève*, aux *Quatre pièces espagnoles*, il fait entrer dans sa manière l'esprit de l'Espagne, en réunissant ces deux caractères opposés qui sont les deux faces de sa personnalité : sensualité et austérité. Ce paradoxe va s'accentuer à partir de maintenant où les *Sept chansons* viennent comme un exemple du mélange de ces deux éléments. Il se situera ensuite entre un romantisme impressionniste et un classicisme qui regarde surtout vers les Espagnols du XVIe siècle.

Après avoir situé Falla par rapport aux « solutions » possibles de recréation du folklore, il nous faut examiner rapidement ce que tous les foyers locaux peuvent avoir en commun, justifiant la dénomination – conventionnelle, encore une fois – de « musique espagnole ».

Les caractéristiques de cette musique – ensemble de musiques – doivent être systématiquement énumérées : d'un côté celles qui sont fondamentales, de l'autre celles qui les distinguent de la musique occidentale et les rapprochent de la musique orientale.

Avec cette énumération, nous parviendrons à une qualification approximative et nous éviterons l'erreur fréquente qui consiste à prendre la musique andalouse ou castillane pour la musique espagnole en général.

Deux caractéristiques essentielles :

1. Une force tragique dans l'expression et une volonté de lyrisme qui compromet l'équilibre de la forme.

2. Une participation active à tous les faits et gestes de la vie quotidienne, ce qui a fait dire à Maurice Ohana qu' « elle traite avec la même familiarité la Vierge et le matador, la mère et la solitude, l'amour, la mort, l'enfant et les démons ».

Ce qui la distingue : son intimité étroite avec le poème ou la danse : elle n'existe qu'en fonction de l'un ou l'autre de ces éléments.

En face de ces caractéristiques, la musique andalouse, unique parmi toutes celles qui se réunissent pour former la musique espagnole, possède une condition particulière qui l'inscrit dans le large rayon méditerranéen et la fait sortir

du rayon occidental : sa ressemblance avec la musique orientale, grâce à l'harmonie de la guitare populaire et aux intonations de la voix des chanteurs (« cantaores »). Une première influence est venue par l'introduction dans l'Église du rite byzantin et, ensuite, par l'immigration des gitans et par les invasions arabes. Elle en conserve quelques modes orientaux à demi transformés et la tendance à utiliser des distances inférieures au demi-ton.

En tenant compte de ces quelques remarques, nous pouvons entreprendre l'analyse des *Sept chansons*. Mais à l'aide de quels critères ? D'abord, naturellement, par rapport à l'œuvre antérieure de Falla. Et le folklore ?

« Le traitement des mélodies populaires est, en réalité, un des travaux les plus difficiles que l'on puisse concevoir ; et on peut même le considérer comme plus ardu que celui du compositeur d'œuvres *originales* » a dit Bartok.

Le souci de déterminer

les sources de chaque chanson, de les situer géographiquement et chronologiquement, est une tâche à laquelle nous avons renoncé. Ce qui importe ici, c'est l'œuvre - non pas l'idée, mais ce que le musicien en a fait.

Dans les *Sept chansons*, les matériaux folkloriques sont intégrés à un langage personnel grâce à un mécanisme d'adaptation qui élimine, unit et modifie. Laissant de côté le mécanisme lui-même, nous fixons notre attention sur ces conséquences.

Nous relevons d'abord dans chacune des chansons ce qui nous intéresse particulièrement, pour les prendre ensuite dans leur ensemble.

El pano moruno (Le drap mauresque) est un exemple supplémentaire de cette gamme andalouse que nous connaissons bien. Pour la première fois, plusieurs agrégations tirent leur justification de l'emploi simultané de degrés mobiles :

ou dans l'emploi de l'acciaccatura (appogiature que l'on attaque en même temps que l'accord) que Domenico Scarlatti affectionnait fort :

La *Seguidilla murciana* dénote une conception de la percussion provenant, comme de nombreuses agrégations très osées, de la guitare.

Quelques-unes de ces agrégations ne sont que l'utilisation des sensibles de tonique et de dominantes simultanées à l'accord parfait :

La *Asturiana* nous propose une harmonie très particulière : tous les accords possibles d'une note donnée l'entourent, horizontalement ou verticalement, de telle façon que les agrégations qui en résultent s'expliquent comme des résonances naturelles de cette note.

La *Jota* est un nouvel exemple, après celui des *Quatre pièces*, du rythme caractéristique de cette danse. La construction renferme quelques petites imitations et surtout des modulations inattendues, qui modifient d'un degré la fonction tonale, ainsi qu'une harmonie qui utilise commodément les 7ᵉ.

La berceuse andalouse, qui porte le nom très fréquent de *Nana*, est peut-être celle que sa mère chantait à Falla quand il était enfant.

Les vingt mesures qui la composent sont un exemple de plan parfait et d'économie de moyens, avec un effet maximum d'expressivité. Avec la nuance indiquée par le *mormorato*, le traitement de la voix est, pour la première fois, légèrement mélismatique. Toute la chanson est construite sur ce schéma harmonique basé sur une pédale de tonique

qui n'est que l'équivalent vertical de la gamme andalouse. La pédale qui entre toujours à contre-temps, les syncopes du piano entre deux voix qui s'imitent, la résonance qui enveloppe chaque harmonie sont autant d'habiletés dans l'expression du lyrisme.

La trouvaille de la *Cancion* consiste dans les trois plans, en désaccord permanent, qui existent entre la voix et les deux mains, et dont la résultante rythmique est du plus haut intérêt.

Le *Polo* (air populaire andalou) nous ramène une nouvelle fois à l'esprit de la vieille *Sérénade andalouse* et de la dernière des *Quatre pièces*. Un élément nouveau, la répétition d'une note qui crée une insistance obsédante – percussion au piano, opposée aux mélismes de la voix — et l'opposition violente des nuances, typiques de la musique andalouse, donnent à cette pièce un caractère de final.

Cette conception est nouvelle tout en demeurant dans la ligne romantique et – comme il découle des principes que nous avons établis – dans l'application de la théorie tonale harmonique qui correspond au mouvement du XIXᵉ siècle. (Ce dernier trait rappelle le Falla adolescent qui s'arrête démesurément sur les modulations wagnériennes et le Falla des *Quatre pièces*, immédiatement antérieur). Large et neuve, cette manière ne trahit pas la moindre attache. Fuyant systématiquement, comme Stravinsky, le vague et l'imprécision, l'harmonie de Falla est maintenant construite à l'intérieur d'un langage personnel.

Si nous appelons « mineure » la gamme andalouse que l'on peut, pour plus d'une raison, assimiler à cette nouvelle manière, la succession des tonalités des diverses chansons donne : si mineur, fa majeur, fa mineur, mi majeur, mi mineur, sol majeur, mi mineur. Il convient de noter la progression fa (majeur, mineur) – mi (majeur, mineur), et le passage par le majeur relatif pour revenir au mineur principal.

Le plan tonal d'ensemble – qui ne se sert déjà plus des lois classiques mais s'en est donné de nouvelles – garde cependant un équilibre, un sens de la construction, tout comme le plan tonal particulier à chaque chanson.

Rien n'est laissé au hasard. La notion que Falla a dénommée *rythme interne* – équilibre produit par la relation entre les divers pôles tonals qui constituent l'œuvre – est nettement représentée ici. C'est le fruit de ses méditations et des réflexions que lui a suggérées le livre de Lucas ; une rénovation était nécessaire, Falla l'a senti, obscurément d'abord, ensuite consciemment.

Cette œuvre du philosophe français (« Une révolution dans la musique », ou « l'Acoustique nouvelle ») est une remarquable tentative qui réussit, mais en partie seulement, à établir les lois absolues qui ont régi la musique pendant plus de deux mille ans. L'auteur observe qu'il est possible de considérer chaque son isolé « comme faisant partie d'une hiérarchie construite par imitation, d'après des principes qui se confondent avec les grandes divisions du corps sonore, et à rattacher le mouvement de chacun vers un centre attractif commun déterminé par des appellations placées suivant le caprice ou l'habileté du musicien ».

Ce livre contient des idées étonnamment avancées, actuellement en pleine force, des vues historiques qui annoncent les ouvrages de Jacques Chailley, des conceptions harmo-

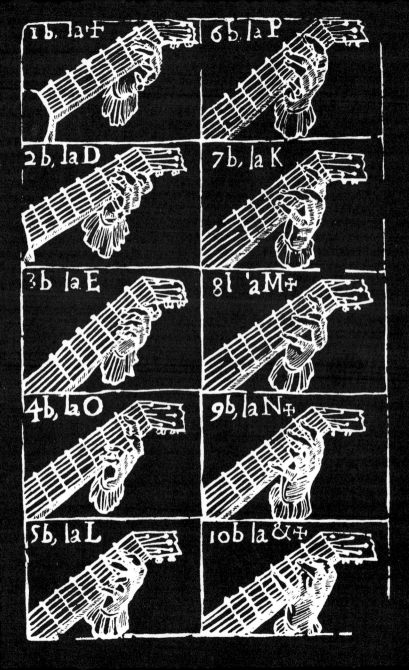

niques qui devancent Bartok et Stravinsky de cent ans et des indications de tous genres qui sont une surprenante anticipation de la théorie de Schœnberg et de la musique de Ohana. Nous y trouvons la base, la justification même, de la théorie de Falla qui part de la reconnaissance pure et simple d'une « loi générale d'une résonance simultanée » par laquelle on établit :

1. Un principe fondamental prédominant et résolutif.
2. Des centres attractifs d'une indépendance relative.
3. Des éléments attirés et absorbés.

En partant d'une résonance naturelle, l'équilibre entre tension et distension montre que de nombreux accords inexplicables selon la théorie traditionnelle se trouvent pleinement justifiés.

Falla est en présence de la théorie de son propre système : il est obligatoire de fixer soigneusement les limites sonores de la musique, en établissant, comme il dit, *de façon perceptible son point de départ, son milieu et sa fin, ou son point de départ et celui où elle s'interrompt, unis par une étroite relation interne. Si on s'éloigne parfois du sens tonal qui marque ses limites ce n'est que brièvement et avec l'intention d'accentuer la valeur tonale elle-même qui prend plus d'intensité quand elle réapparaît après s'être éclipsée par accident.*

C'est le jeu de la guitare qui a donné l'idée de cette harmonie et on pourrait énoncer ainsi le système : pour la construction d'une œuvre musicale on établit :

1. Le plan tonal de l'ensemble et de chacune des parties, qui est forcément conclu par une cadence de période et dans lequel l'habileté suprême consiste à s'éloigner de la tonalité principale et à y revenir par des procédés inattendus et qui abrègent : l'enharmonie, la cadence interrompue, etc...
2. L'harmonisation d'une note donnée, outre les accords habituels de 7e et de 9e, donne lieu à des agrégations qui peuvent se produire soit comme harmoniques conjointes d'une note donnée, soit comme réunion d'appogiatures, ornements, etc... qui résonnent ensemble (« acciacaturas »). Pour l'harmonisation générale d'une mélodie, on peut utiliser une harmonique unique, invariable, contenant les notes fondamen-

tales du mode dans lequel est traitée la mélodie, et qui ne varie pas lorsque celle-ci varie.

3. Toute note mélodique est considérée comme une note dont la fonction tonale peut changer : toute modulation est possible. On s'approche alors de la modulation par enharmonie des anciens. Ainsi, un 2e degré peut tout à coup devenir une sensible, ou un 5e degré cesser d'être une dominante.

Une curieuse remarque, quant au texte : l'ignorance de la littérature chez Falla – le choix des poèmes de Gautier constitue une exception – est égale à l'ignorance de la musique chez les écrivains de la génération de 1898. Mais de même que ceux-ci, quand ils s'intéressent à la musique populaire vont au meilleur, de même Falla, dans les chansons populaires de l'Espagne, a choisi les plus remarquables par la grâce et la fraîcheur de leur lyrisme. Comme les écrivains de la génération de 1898, en dehors de son métier, il est plus sensible au populaire qu'au savant – survivance d'un romantisme originel.

La synthèse des aspects musicaux indique pour l'harmonie quatre sources bien déterminées. L'une est purement théorique (Louis Lucas) et les trois autres sont traditionnelles : le « cante jondo » andalou, d'où provient la gamme que nous avons remarquée ; la guitare, déjà utilisée directement dans *La vie brève* et qui donne beaucoup d'accords des *Sept chansons*, justifiés par la position des cordes :

et la musique de Scarlatti dont les agrégations, comme plus tard, les exemples de Debussy, ont montré à Falla comment se libérer de la théorie tonale harmonique dont il procède.

Si nous ajoutons à cela les origines premières, l'influence de Pedrell et l'héritage espagnol, à travers Albeniz, nous pouvons maintenant, par un coup d'œil en arrière, faire un schéma de la position de Falla dans l'histoire de la musique et par rapport à la musique européenne.

Dans ce schéma, nous devons considérer chacun des points comme une étape de l'assimilation par Falla des principes et de la technique correspondante. Aucun n'est prépondérant, sauf Albeniz.

La présence de Satie est amplement justifiée par une relation que nous pourrons établir plus tard ; elle n'est pas encore tout à fait claire, et consiste seulement dans l'admiration que Falla éprouve pour ses pièces de piano surtout. L'influence de Dukas paraît être plutôt théorique – sur le plan de l'orchestration – ce qui explique qu'elle soit placée avec Pedrell et Lucas :

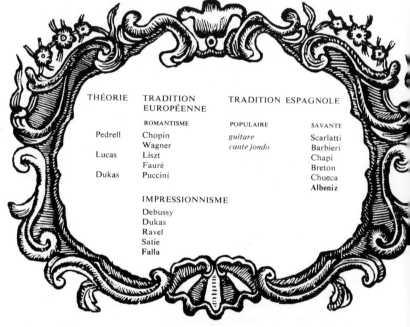

THÉORIE	TRADITION EUROPÉENNE		TRADITION ESPAGNOLE	
	ROMANTISME	POPULAIRE		SAVANTE
Pedrell	Chopin	*guitare*		Scarlatti
	Wagner	*cante jondo*		Barbieri
Lucas	Liszt			Chapi
	Fauré			Breton
Dukas	Puccini			Chueca
				Albeniz
	IMPRESSIONNISME			
	Debussy			
	Dukas			
	Ravel			
	Satie			
	Falla			

Pendant les six ou sept mois que Falla consacre à cette nouvelle œuvre, la situation politique de l'Europe s'aggrave de jour en jour. Néanmoins dans une lettre à ses parents, il leur propose, pour la première fois, de venir à Paris où ils pourraient s'installer tous ensemble. Il a même trouvé une maison dans la banlieue et compte pouvoir l'acheter.

Mais le conflit est là. Falla reste encore quelques semaines à Paris pour terminer ses chansons, puis il commence à chercher le moyen de partir. Le groupe des musiciens parisiens se disperse.

Avant de rejoindre Angers, Debussy écrit : « J'en arrive à envier Satie qui va s'occuper sérieusement de défendre Paris en qualité de caporal .»

« J'ai vu aussi Paul Dukas qui n'est à la disposition d'aucun ministre mais qui se déclare tout prêt à se faire casser la figure aussi bien qu'un autre. »

Ravel commence ses démarches : un an et demi plus tard, seulement, il pourra s'engager dans l'aviation.

Falla doit se résigner à les quitter. Sa décision de rester en France avait été la volonté définitive de s'établir là où sa musique avait pris son essor et là où se rencontraient toutes les possibilités.

Dans ses valises, les pages à moitié finies des Nocturnes qui s'appellent maintenant *Nuits dans les jardins d'Espagne*. Sur le bureau d'Eschig, les *Sept chansons*, à peine terminées. Elles n'ont jamais été interprétées et seront imprimées Dieu sait quand. Sept chansons courtes, à peine un quart d'heure de musique qui feront un jour le tour du monde.

Falla s'en va. A Paris, il n'a écrit – en sept ans – que trois œuvres, importantes il est vrai. Dans l'une *(Quatre pièces)*, il assimile surtout la technique d'Albeniz ; dans l'autre *(Trois mélodies)*, de même que dans les brouillons quasi définitifs des *Nuits*, presque rien que de l'impressionnisme ; dans la dernière, les *Chansons*, il est seul et tout entier pour la première fois.

Son retour en Espagne marque la fin de cette époque d'assimilation ; pour l'avenir, son langage est constitué.

Le voyage, interminable, est une succession de petites étapes. Il faut changer cent fois de train, voyager debout, attendre les correspondances...

Enfin, les Pyrénées. Un nouveau Manuel de Falla se retrouve dans les rues de Madrid.

L'éclosion

1914-1919

La « zarzuela » est morte. A sa place, les musiciens espagnols qui reviennent – auréolés au dehors – vont occuper la scène. Une musique espagnole mais intégrée au courant occidental va enfin se substituer à la « zarzuela ». Dans ce pays qui essaie de tirer parti de sa neutralité (prospérité artificielle en face des difficultés des autres pays d'Europe), la musique va avoir sa part de chance.

Avec plusieurs musiciens mineurs, Falla revient. Pendant ces cinq ans, nous allons le voir à l'œuvre, entouré de satellites minuscules, comme la génération de 1898 avait ses saltimbanques. En face de ses épigones, Falla met à profit sa connaissance de la musique contemporaine et donne son appui aux institutions créées aux alentours de 1905.

Le public, incapable de juger, encore néophyte, surpris surtout par cette effervescence, étonné devant une éclosion « qui doit être importante » puisqu'on l'a consacrée en France, est gourmand des œuvres les plus accessibles, sinon les plus riches d'Albeniz et de Falla, qu'il entend pour la première fois, ainsi que des œuvres les moins compliquées de Turina,

113

Del Campo et Espla. Quelques musiciens, de moindre valeur s'agitent auprès de ceux-ci – de moindre importance, mais authentiques – comme Perez Casas et Guridi. Ils parviennent au succès sans grand effort. Plus bas, mille noms nouveaux – combien insignifiants ! – qui jouent aux maîtres.

Comme le public, les critiques et les impresarios essaient de s'adapter aux temps nouveaux. La minorité s'est élargie et a gagné du terrain.

Le 14 novembre 1914, on donne *La vie brève* au théâtre de la Zarzuela. Amende honorable, en quelque sorte. Cette représentation est suivie de vingt-six autres, données avec succès jusqu'au 18 novembre suivant. Le soir de la première, le public, enthousiasmé, attend Falla à la sortie du théâtre et l'accompagne chez lui avec des exclamations et des cris, l'acclamant comme un général victorieux.

En décembre de cette même année, Falla, revenant à son goût premier pour la sensiblerie poétique, compose la *Prière des mères qui ont leurs enfants dans les bras* (Oracion de las madres que tienen a sus hijos en brazos), sur un texte de Martinez Sierra. Il devance ainsi Debussy qui écrira en 1916-1917, dans une même attitude face à la guerre, son « Noël des enfants qui n'ont plus de maison ». Mais Falla n'égale pas le petit chef-d'œuvre du musicien français ; son œuvre, pauvre et sans intérêt, restera inédite.

Quelques jours avant qu'il termine sa chanson, une danseuse gitane, Pastora Imperio, lui avait demandé, ainsi qu'à Sierra, une chanson et une danse pour un spectacle de variétés. Les conversations avec la mère de Imperio, une authentique gitane qui lui conte mille histoires de revenants et de sorcières, enthousiasment Falla et le décident à s'enfermer pour composer. Peu à peu, autour de la chanson et de la danse, naît un petit projet qui s'élargit à mesure que le travail avance et qu'il finit par concevoir, avec Sierra, comme un spectacle complet. Il passe cinq mois à travailler, en moyenne huit heures par jour, à cette nouvelle idée, plus grande. De l'argument ébauché sort, à la surprise générale, la version pour chant et petit orchestre de *L'Amour sorcier*.

« L'amour sorcier »

Falla était revenu de France avec la soif de composer.
Dans la force de l'âge, ayant trouvé sa voie et élaboré son
langage, à quarante et un ans, il maintient fermement son
rythme de travail. Il donne des concerts de temps en temps.
S'il fait, à côté de la composition, un effort à l'égard de son
milieu, il faut chercher la raison de cette attitude pédagogique dans son ardeur à intervenir activement pour la modification de l'atmosphère musicale. Pour ces entreprises –
la fondation de la Société Nationale de musique, par exemple – il a recours à tous les moyens possibles. Nous le verrons
aussi donner de nombreux concerts, faisant connaître l'œuvre de Bartok, jouant pour la première fois en Espagne des
œuvres de Ravel, de Satie, de Hindemith. Les conférences
succèdent aux concerts. Cette façon généreuse de se dépen-
ser, cette nécessité de donner aux autres ce qu'il possède,
née d'une prise de conscience de la situation de la musique,

ne négligent pas les moyens plus modestes. Préoccupé de vraiment faire comprendre sa musique, Falla ne craint pas, par exemple, de publier une brochure qui accompagne le programme le jour de la première de *L'Amour sorcier* au Théâtre de Lara (15 avril 1915), et dans laquelle il explique les intentions qui ont présidé à la création de ce ballet qu'il appelle *gitanerie musicale*.

L'œuvre, saluée par les réflexions les plus fantaisistes, est un échec complet. Elle atteint à peine la vingt-neuvième représentation, devant une salle de plus en plus vide. Puis, elle est représentée dans d'autres villes, avec plus ou moins de succès. Mais une minorité applaudit en elle une forme nouvelle de la musique espagnole.

Au mois de mai, fatigué peut-être par une si grande activité, Falla s'établit à Barcelone qui sera, dans l'avenir, le point d'où il rayonnera à travers le pays. Il y reste deux mois, travaillant à finir les *Nuits*. Ce voyage lui permet de rencontrer son ami Marshall, qui avait été, dix ans auparavant, son concurrent au concours de piano. Il fait la connaissance de quelques musiciens catalans. Il a aussi l'occasion de composer en quelques heures, en passant, une *Musique de scène pour l'Othello de Shakespeare*, dont la partition a été perdue.

C'est cette fatigue aussi, qui provoque la crise dont souffre Falla à son retour de Barcelone, et qui l'oblige à passer plusieurs mois dans une maison de santé à Cordoue. Tout son organisme reçoit un choc violent et ses vieux conflits réapparaissent, plus vigoureux que jamais, avivés peut-être par le fait qu'il serait tombé amoureux de la belle gitane qui a dansé son ballet (Pastora Imperio est la seule personne à qui une tradition orale confère l'honneur d'avoir intéressé notre musicien).

Une sorte de délire en arrive à compromettre son équilibre mental; il parvient à le maîtriser et, au bout de plusieurs mois de silence, il sort des ténèbres.

Son retour le confirme dans sa décision. S'il n'est pas tout à fait maître de lui, il est néanmoins certain que sa chair est vaincue et ne se manifestera plus que dans quelques soubresauts. Sa maturité va lui permettre de se maintenir

116

toujours plus facilement dans un ascétisme total, grâce à une volonté obstinée. Mais par contre, son système nerveux est miné.

Pendant ces crises, la religion a été pour lui l'unique et le plus sûr secours ; il la conçoit comme un refuge et une solution qui vient du dehors. Mais il sort de cette épreuve plus fanatique encore. Espla se souvient de lui, se promenant au Retiro avec le critique Adolfo Salazar (son bras droit à la Société Nationale), et de son refus véhément d'admettre qu'il puisse exister une autre interprétation valable des Évangiles que celle de l'Église catholique.

Cependant, ses contacts avec les gitans qui ont mis en scène son ballet ont fait revivre en lui certaines superstitions typiquement andalouses qu'il ne se soucie pas de voir coexister avec ses croyances religieuses. Par exemple, il est convaincu de la malignité de la lumière lunaire à laquelle on prête un pouvoir maléfique. Cette conviction, ancrée au plus profond de lui-même, lui dicte des attitudes qui, jugées isolément, pourraient paraître ridicules.

1916 est l'année des *Nuits* et de la nouvelle version définitive de *L'Amour sorcier,* dont Sierra a étoffé l'argument, Falla la musique et dont il donne une réorchestration. L'une et l'autre œuvre sont jouées à quelques jours d'intervalle, peu de temps avant l'arrivée de Stravinsky, qui se rend pour la première fois en Espagne, accompagnant les Ballets Russes.

Le 28 mars, l'Orchestre philharmonique de Madrid, récemment créé, donne la nouvelle version de Falla, sous la direction de Perez Casas. Ce dernier va devenir un heureux concurrent d'Arbos, et son orchestre – orgueilleux rival de l'Orchestre symphonique – l'indice d'une nouvelle activité.

Le 9 avril, Arbos et son orchestre donnent les *Nuits dans les jardins d'Espagne.* Le brillant pianiste José Cubiles, qui a reçu à Paris, quelques années avant, un premier prix au Conservatoire, est soliste.

Bien qu'étant l'une des œuvres les plus belles de Falla, les *Nuits* ne permettent pas une étude particulière des éléments techniques. Inscrites dans l'orbite impressionniste, elles sont même un élargissement de l'atmosphère des *Trois mélodies* – de la première manière. Bien qu'elles n'aient pas toutes été composées avant, elles sont antérieures aux *Sept chansons*, pour l'esthétique. Il faut les ranger dans la période d'assimilation.

Les *Nuits* sont autant une référence à l'impressionnisme de Falla qu'une affirmation des éléments propres de son langage. A une technique qui semble partager avec celle de Ravel la perfection des enchaînements de 7e et de 9e, se joint le recours personnel à la source populaire.

Falla et Massine à l'Alhambra

Le caractère impressionniste de Falla impose une réflexion en marge. Comme le fera remarquer Chase, il est nécessaire de se souvenir que « les cordes à l'air de la guitare donnent un accord tout à fait impressionniste ». C'est ce que Falla observe, sous une autre forme, au sujet de l'emploi de ces accords par Debussy, et que *d'autres traits qui ne lui sont pas habituels, comme les mélodies et harmonies modales, l'ambiguïté tonale, l'emploi systématique de quintes successives, les appogiatures non résolues, la complexité métrique et les changements de mesure fréquents à cause de la simultanéité de rythmes différents* sont autant d'éléments que nous retrouvons aussi bien chez les impressionnistes que dans la musique populaire andalouse.

Des *Nuits* à *L'Amour sorcier*, il y a une distance énorme.

Ce ballet est l'œuvre la plus importante de Falla jusqu'alors, parce qu'il parvient à stabiliser ses procédés harmoniques et à leur donner une cohérence, en dehors de toute référence à la musique impressionniste. Nous sommes tentés d'indiquer *L'Amour sorcier* comme une œuvre cruciale dans l'évolution du langage de Falla. Est-ce une illusion ? Ce qui arrive, c'est que chaque œuvre est une bifurcation et représente une tendance nouvelle.

Cependant, l'objection que nous faisions quant à l'unité de style de *La vie brève*, nous pouvons la refaire ici, alors que dans les *Nuits*, cette unité était remarquablement réalisée. Y a-t-il rupture de style, absence d'unité dans ce ballet ? L'objection, qui vient plutôt à la lecture qu'à l'audition, n'est peut-être pas valable. En tout cas, s'il n'y a pas de rupture de style, il y a au moins la coexistence de deux styles distincts, coexistence qui résulte d'un effort pour introduire dans la musique occidentale des éléments spécifiquement andalous et gitans, nettement différenciés, alors que leur place est dans le rayon méditerranéen, en dehors de l'orbite occidentale.

Le plus surprenant, dans cette œuvre, c'est sa bivalence. Rien de plus espagnol que *L'Amour sorcier*, mais en même temps (c'est ce qui importe), rien de plus universel. Quand le compositeur, après s'être humblement incliné vers sa terre, a la sagesse de s'en éloigner et de faire une œuvre sans concessions, ce qu'il obtient est universel.

Le système harmonique de Falla, que nous esquissions autour des *Sept chansons*, nous pouvons l'énoncer plus clairement à propos de *L'Amour sorcier*, et même y ajouter quelques points. Les sources sont maintenant bien délimitées :

1. Le toucher « raclé » de la guitare, et les accords qui en résultent.

2. La résonance naturelle de l'accord, c'est-à-dire, les harmoniques naturelles qui s'ajoutent aux notes principales d'un accord.

3. Un nouveau procédé, par lequel Falla réalise une harmonisation que Schœnberg croit découvrir seul, et qui consiste à harmoniser une mélodie donnée avec des notes fonctionnelles essentielles du mode auquel elle appartient - les degrés I, V et IV surtout - sans qu'il varie, malgré les détours de la ligne mélodique. Harmonie statique, dont *Le Revenant* fournit le meilleur exemple.

Après avoir écarté l'idée, que Diaghilev proposait, de faire un ballet sur les *Nuits*, Falla promet au Russe de chercher un thème pour en réaliser un ensemble, un ballet. A cette époque, il lui était venu à l'esprit de faire un opéra sur *Le magistrat et la meunière* (El corregidor y la molinera), conte populaire, traité et développé par Alarcon. Ce projet occupe toutes ses pensées. Il le communique à Sierra qui le reçoit avec enthousiasme et qui se rend chez les héritiers de l'auteur. Mais il se trouve qu'une disposition testamentaire d'Alarcon interdit de tirer de son récit quelque livret que ce soit. L'idée d'un mimodrame vient remplacer l'idée originale et le projet commence à s'esquisser tandis que Sierra entreprend l'adaptation du conte.

Au mois de juillet 1916, Falla écrit une préface pour la traduction espagnole du livre de Georges-Jean Aubry « La Musique française contemporaine », traduction due à Salazar. Ils présentent ainsi tous deux cet ouvrage au public espagnol, mus par leur constant souci pédagogique.

EL MAESTRO FALLA,
autor de la partitura de *El Corregidor y la Molinera*, estrenada con gran éxito en Eslava.
Fot. Biedma.

LA ÚLTIMA OBRA DE FALLA

EL CORREGIDOR Y LA MOLINERA

La primorosa novelita de Alarcón *El sombrero de tres picos*, inspirada, según es sabido, en cuento popular *El corregidor y la molinera*, sentó en diversas ocasiones a compositores y músicos. El talento sutil, activo siempre y siempre vibrando exquisitamente de Gregorio Martínez Sierra, ha llevado a Eslava varios incidentes de la obra maestra del autor de *La pródiga*, con los cuales ha sabido urdir y desarrollar una farsa mímica a la que ha puesto música el maestro Falla.

Constituía este estreno un nuevo testimonio de la flexibilidad y supremo gusto artístico con que el poeta de *Canción de cuna* viene realizando al frente del teatro de Eslava una de las campañas más admirables que hemos visto en Madrid, no sólo durante la temporada actual, sino durante otras anteriores. Martínez Sierra, que es un obsesionado del arte, ha conseguido, no obstante, el triunfo de hacerle caminar paralelamente al negocio. El cartel y la taquilla vienen, sin abjurar, en el teatro de asedio, sosteniendo una lisonjera compatibilidad. Martínez Sierra, director de la disciplinada compañía que le secunda, y en la que resplandece el hechizo de Catalina Bárcena, ha conquistado a «un público». Diríamos hasta que lo ha creado, le ha moldeado. Comprensivo, consecuente, fiel, este público se percata de la emoción de la obra de arte acaba por convertirse en gratitud al artista creador, así, acompaña a Martínez Sierra y a «su distinguido codo»...

...dores en cuantas fiestas organiza, las cuales no han sido por cierto ni pocas ni monótonas. La labor dramática de Martínez Sierra es hoy variadísima, amena y diversa. Auxiliándose de actores prestigiosos, de dibujantes reputados, de músicos y artistas eminentes ha organizado espectáculos de honda trascendencia artística, y él, que así dignifica tantas cosas relacionadas con la sensibilidad y la cultura, ha llegado en su negocio de hoy incluso a lo que unos pocos en España, muy pocos, habían hecho: dignificar, ennoblecer, acreditar el cargo de empresario, dándole la saludable conciencia, sanciencia y prudencia...

El corregidor y la molinera obtuvo la brillante victoria que merecía. Vivamente aplaudió el público al gran compositor de *La vida breve*, que ha tenido el acierto de identificarse asombrosamente con el espíritu burlón, agudo, travieso y desenfadado del viejo romance popular, trocado en novela por Alarcón.

Dentro de las limitaciones de la expresión musical que no es lícito esgrimir, a juicio nuestro, con argumentos contundentes, toda vez que ninguna de las bellas artes alienta con absoluta autonomía, libre de restricciones, el ilustre músico ha realizado una labor sorprendente.

Colorido, gracejo, vivacidad a raudales y en sabrosa ponderación tiene *El corregidor*, de Eslava, cuyos personajes se mueven en un ambiente esplendoroso y arraigadamente nacional. El empeño de Falla, supliendo con los prodigios de su arte la expresión, que es patrimonio casi exclusivo de la palabra, ofrecía grandes peligros. Pero ¡ha sido éste su exclusivo propósito! Grave ligereza, si no calumnio, supondría el sospecharlo. Una farsa mímica concibió el poeta, y el compositor sólo se propuso darle alma subrayando los gestos, sazonando las actitudes, comentando los caracteres, dando la luz, la gracia y el color debido al ambiente en que la obra transcurría. El molinero, su mujer, la gentil Frasquita, el corregidor y el alguacil se reflejan con fidelidad donosa en el espejo orquestal. Y esto en cuanto concierne a los seres humanos; pero en la obra hay «personajes» que, como el mirlo, por ejemplo, tienen una graciosa intervención, o hay palpitaciones de paisaje y de hora que el maestro Falla ha dejado singularmente vivas en la trama gozosa y espléndida de su partitura.

Y en este alarde de identificación, por el cual el gesto, el ademán y la actitud resultan con...

GREGORIO MARTÍNEZ SIERRA,
ilustre dramaturgo y poeta, autor de la música *El Corregidor y la Molinera*
Fot. X.

...un gentil lenguaje enriquecido, lo más sobresaliente es el humorismo prodigado. El lírico de *Noches en los jardines de España* ha transmitido a la orquesta toda la jocosidad, toda la zumbonería de los muñecos de la farsa, con tal fortuna que los instrumentos usurpan, más de una vez, las prerrogativas de la dicción oral. En este sentido, el Corregidor tiene aquella robustez grotesca que la musa popular le infundió. Falla ha dibujado al cómico personaje con un buen humor felicísimo. En la partitura, tan dócil a los incidentes teatralizados, abundan estos rasgos cómicos, que la concurrencia celebró largamente.

E. RAMÍREZ ÁNGEL

Nuestra Portada

EL MAESTRO CONRADO DEL CAMPO

Espíritu entusiasta, orientado hacia lo moderno y lo exquisito; actividad incansable, que palpita en obras musicales y estudios de crítica y fervor, nunca apagado, por el noble arte; corazón abierto a todo que encauzó su vida a las auroras de las renovaciones; cultura amplia, acrecida siempre en un anhelo redentor e infalible: he aquí los rasgos salientes del maestro Conrado del Campo, tantas veces aplaudido por el público y por la crítica; no sólo como compositor, sino como ejecutante y como publicista de estilo cálido, ideas generosas, que dado a su vida aquella laboriosidad, la miel y selección, de abeja y ha hecho su existencia una mezcla de romántica briosa cruzada.

Obsesionado noblemente por un ideal...

UNA ESCENA DEL PRIMER CUADRO DE «EL CORREGIDOR Y LA MOLINERA», QUE SE REPRESENTA CON GRAN APLAUSO EN EL TEATRO ESLAVA, DE ESTA CORTE
Fot. Vidal.

Dès que Sierra a terminé son nouveau livret, Falla se consacre entièrement à l'œuvre. Il y passe tout l'été et l'automne de 1916 ainsi que l'hiver de l'année suivante. Le 7 avril 1917, au théâtre Eslava, on joue *Le magistrat et la meunière*, sous la direction de José Turina. L'œuvre dépasse trente représentations. Le public et la critique restent plongés dans de bizarres réflexions.

Cette même année, Turina publie une encyclopédie de la musique qui est la traduction la plus plate de ses notes prises pendant les cours de Vincent d'Indy. Falla, en bon chrétien, y ajoute un prologue qu'il faut expliquer sans doute par un engagement fortuit. Deux mois plus tard, en juin, il profite d'une autre occasion pour s'adresser cette fois à la jeunesse musicale. Salazar et lui ont décidé de la haranguer, et Falla accepte d'écrire pour ces jeunes un long article dans le numéro consacré à son œuvre par la revue « Musica »

La revue, indice et baromètre d'une atmosphère où tout se trouve mêlé, le traite « d'esclave rendu à sa patrie, qui l'aime avec des effusions extatiques » (sic) ; la phrase empêche peut-être Falla de dormir pendant une nuit entière, mais il ne le dit pas. Ce qu'il dit, en revanche, sans crier, mais avec fermeté c'est que *en art, il y a quelque chose qui se trouve loin au-dessus des applaudissements du public.* A bon entendeur...

L'année 1918 est toute occupée par des projets et par une œuvre qui restera inédite à cause du dédit de plusieurs directeurs. C'est *Feu follet*, sur des thèmes de Chopin.

1919 arrive et Falla va vivre des heures importantes et graves.

Avant la mort de son père, survenue en mai, il a terminé sa *Fantaisie bétique*, croyant ingénument que Rubinstein, qui l'avait commandée, cesserait de persévérer dans son répertoire entièrement consacré à Chopin depuis plusieurs années. De cette vague commande, sort l'une des œuvres pour piano les plus importantes de l'époque. Elle a été écrite en quelques mois.

Aussitôt, Falla donne les dernières touches au *Tricorne*, nouveau titre pour la nouvelle version du *Magistrat*, défini-

tivement adapté pour le ballet. Au mois de juillet, il va à Londres - c'est son second voyage en Angleterre - où Diaghilev a décidé que la première du ballet aurait lieu. Là-bas, il peut entendre enfin sa *Danse du meunier* que les nécessités du chorégraphe l'avaient obligé à composer en vingt-quatre heures, à Madrid, avec toute la précipitation que semblable bouleversement lui imposait. Mais cette page ne démontre-t-elle pas que sa fameuse lenteur dans le travail n'était qu'un culte de la perfection, et même un culte tout court ?

Le 22 juillet, jour de la première (sous la direction d'Ansermet), il reçoit un télégramme : sa mère est gravement malade et on lui demande de revenir. Il a tout juste le temps de prendre un billet, via Le Havre et Paris. Toute la compagnie, en habit de première que l'on cache sous des manteaux, l'accompagne le soir à

Costumes de Picasso

la gare et lui dit tristement adieu. Le jour suivant, pendant le voyage Paris-Madrid, un journal lui apprend la mort de sa mère. Le succès du *Tricorne* éclate, à Londres, tandis qu'il suit le convoi au cimetière et tombe dans une terrible dépression.

Le Tricorne était justement sa seule expression de joie insouciante, singulière manifestation de l'humour espagnol, qui ne craint pas de se moquer du sévère Beethoven en mettant les quatre fameuses notes de la 5e symphonie dans une allusion comique. Cette joie coïncide peut-être avec le moment le plus heureux de sa vie, avant la mort de sa mère. La « socarroneria », une espèce d'ironie à la Stravinsky, mais moins acide, typiquement andalouse, brille de tout son éclat dans ce ballet. Nous pourrions difficilement imaginer une œuvre plus différente de *L'Amour sorcier*, par le caractère et l'intention.

pour « Le Tricorne »

Décor de Picasso pour « Le Tricorne ».

Falla s'éloigne de tout contact avec l'impressionnisme ; il pousse plus loin les procédés d'Albeniz et les siens propres, s'intégrant, d'une certaine façon, au mouvement néo-classique dont on a parlé à tort et à travers. Les thèmes classiques sont aussi bien des allusions satiriques que des évocations d'une époque : ils se justifient en eux-mêmes et ne sont pas en contradiction avec le stylé de l'ensemble du ballet. Ils l'affirment, précisément parce que c'est là l'œuvre la plus tonale de Falla.

« *La chasse aux minutes...* »

L'ascétisme de Falla, de plus en plus marqué, son désir d'objectiver l'œuvre jusqu'à ce qu'elle prenne une valeur en elle-même, lui demandent quelque chose de plus et quelque chose de moins. L'œuvre qui vient est celle du renoncement. Il a fallu qu'il écrive ces ballets et ces œuvres pour le piano et le chant - inévitables « précédents » - pour donner maintenant ce qu'il entrevoyait déjà à Paris, l'œuvre sans époque et sans géographie. Jusque-là, son esthétique n'est qu'un projet. A la recherche de la source castillane dans laquelle l'art espagnol perd ce qu'il a d'exotique, et abandonnant par conséquent son inspiration andalouse, Falla aborde des chemins plus arides. Il laisse l'orchestre symphonique au profit de la musique de chambre, il veut alléger et concentrer son expression.

Pour cela, il quitte Madrid et réalise ce rêve qu'il avait un jour étourdiment confié à un journaliste. Sa mère est morte, son unique frère vit en Amérique centrale ; il ne lui reste plus que Maria del Carmen, sa sœur, qui partage toutes ses difficultés.

Avec elle, il part pour Grenade, dans une petite maison loin du centre, dans la partie la plus haute de la ville. A

129

Grenade, où un poète adolescent, qu'il découvre avec étonnement, à peine arrivé, a commencé de chanter avec des accents neufs une poésie impérieuse, envoûtante : Federico Garcia Lorca.

Auparavant, Falla a pris le temps, maintenant que sa situation s'est améliorée, de faire un virement à son ami Eschig, son meilleur souvenir de Paris et son premier éditeur, qui traverse une période extrêmement difficile, après la guerre, à son retour d'un camp de concentration. Il lui envoie ses *Nuits* pour qu'il les édite. Ensuite, plus léger, il s'en va chercher la paix et la solitude.

Il partage ces sept années entre le travail solitaire et de fréquents voyages. En 1918, il a reçu de la princesse de Polignac, de même que Stravinsky, la commande d'une œuvre de musique de chambre que la princesse veut faire jouer dans son hôtel parisien. Une fois installé dans sa petite maison de la rue Antequeruela Alta, il consacre toute son énergie à cette œuvre dont les premiers traits avaient été esquissés à Madrid. En décembre (1918), il avait écrit à la princesse de Polignac : *Je l'ai enfin trouvé, réunissant à toute ma satisfaction les conditions que je crois nécessaires pour votre théâtre et pour mon travail. Ce sujet, vous le trouverez en lisant le chapitre XXVI de la 2ᵉ partie de Don Quijote : el Retablo de Maese Pedro.* Après avoir précisé son idée et établi lui-même le livret d'après l'œuvre de Cervantes, il se consacre uniquement à la composition de la musique.

Diego, Esplà, Lorca.

En janvier 1920, les *Nuits* sont interprétées à Paris par Arbos et Nin. Et, à la fin de la même année, en décembre, il écrit son article en hommage à Debussy auquel il a dédié - interrompant son travail sur le *Tréteau*, pendant quinze jours - un *Hommage* pour guitare.

En juin, Picasso fait un dessin de Falla. Quelle différence avec le musicien de *La vie brève* ! La même qu'entre les grandes moustaches à la Puccini d'autrefois, et le visage tendu, net, d'aujourd'hui. Les lignes géométriques se sont accentuées ; de son esprit, tout l'accessoire s'est détaché. Du post-romantisme à l'austérité, au lyrisme dépouillé et sans concessions. A partir de ce moment, la musique espagnole devient sédentaire. Pendant ces longues et pleines années à Grenade, ce qui, chez Albeniz et son entourage, était nomade, se stabilise ; l'œuvre cesse d'être un travail hâtif, rapide, et se concentre. Les années de sagesse commencent. Falla donne une musique profonde, méditée ; des années de travail suivent les brouillons fébriles. Des années. Sa méticulosité naturelle est devenue une manie et il est capable de refaire dix fois la même page. De là, sortent peu à peu les œuvres les plus importantes de la musique espagnole.

L'édition de la *Danse du feu* fait entrer cette pièce dans la série qui comprend la « Sérénade », la « Polonaise », l'« Ave Maria », le « Clair de Lune », entités sans auteurs, uniques dans leur genre, qui forment un tas de musique de l'autre côté du mur (entre le « Concerto de Varsovie » et les phrases de « Limelight », du compositeur Chaplin). Et Falla connaît la célébrité, c'est-à-dire la souffrance. Comme des champignons après la pluie, derrière les louanges pointent d'innombrables « transcripteurs » : *J'ai reçu hier une lettre de Rubinstein qui m'annonce précisément quelques disques de ses transcriptions de « L'amour sorcier ». Je ne les connais pas car il n'a pas voulu me les faire entendre*, dit-il dans une lettre. Et dans une autre : *Vous avez tout à fait raison de dire que Kreisler a fait une transcription à la Sarasate. Et il se permet encore d'ajouter quelques mesures en manière d'introduction !*

Le 23 mars 1923, après avoir obtenu l'autorisation de la princesse de Polignac, la Société sévillane de concerts donne,

Falla, par Picasso, 1920.

Por convicción y por temperamento soy opuesto al arte que podríamos llamar egoísta. Hay que trabajar para los demás: simplemente, sin vanas y orgullosas intenciones. Sólo así puede el arte cumplir su noble y bella misión social

Manuel de Falla

(C. Retablo)

Manuel de Falla

sous la direction de Falla lui-même, *Le Tréteau de Maître Pierre*.

Ce qui donne à Segismundo Romero (premier violoncelle, qui deviendra l'ami intime de Falla et son bras droit dans mille affaires), une idée que Falla aidera à réaliser : la création à Séville d'un orchestre permanent de musique de chambre.

Après un voyage de quelques semaines en Italie, retour à Paris pour la mise en scène du *Tréteau*, qui est représenté le 25 juin 1923, chez les Polignac.

Don Segismundo

L'orchestre bétique de musique de chambre existe depuis quelque temps, grâce à l'action parallèle de « don Segis », comme on appelle le violoncelliste à Séville ; quand son existence est menacée, Falla trouve un moment pour écrire : *Il est absolument nécessaire que vous ne vous laissiez pas aller au pessimisme, ne serait-ce qu'un moment, comme vos lettres le laissent voir. N'oubliez pas que dans notre pacte - appelons-le ainsi - de l'été passé, figure comme condition indispensable de faire le travail avec un esprit de sacrifice et que celui-ci s'obtient en repoussant les idées pessimistes quand bien même le monde entier s'opposerait à nos desseins.*

Au *Tréteau* fait suite la composition occasionnelle de *Psyché*, œuvre pour chant et petit ensemble de chambre, et l'esquisse, en 1924-1925, d'une nouvelle œuvre, un concerto pour clavecin et orchestre, à la demande de Wanda Landowska.

TEATRO SAN FERNANDO

CONCIERTOS 102, 103, 104 Y 105 DE LA SERIE

Orquesta Bética de Cámara

Director, ERNESTO HALFFTER

Wanda Landowska

CLAVECINISTA

Viernes 20 y Sábado 21.--Miércoles 25 y Viernes 27 de Noviembre de 1925

Les concerts sont de plus en plus nombreux, qui inscrivent à leurs programmes les œuvres de Falla, dont le nom
grandit à mesure que l'auteur s'éloigne - à quelle vitesse ! -
des œuvres qui lui ont valu la célébrité.

1926-1931

Au début de 1926, après avoir été malade pendant une partie
de l'été, et encore soumis à de sévères prescriptions médicales, Falla répartit son temps entre la correction des épreuves
de *Psyché* et les derniers détails du *Concerto*. Il interrompt
son travail pour aller à Paris où il assiste à diverses cérémonies
organisées à l'Opéra Comique pour célébrer ses 50 ans, entre
autres, quelques représentations de *La vie brève* et du *Tréteau*.
Le peintre Ignacio Zuloaga l'accompagne, et tous deux,
déguisés, jouent, l'un le rôle de l'aubergiste, l'autre celui
de Sancho, ce qui finit par une bonne histoire : le trésorier
leur envoie 5 fr. à chacun, et la direction une note par laquelle
elle se déclare très satisfaite de la façon dont ils ont tenu leurs
rôles et leur promet de penser à eux à la prochaine occasion...
Ce voyage est suivi d'un autre, en Suisse, puis d'un autre
à Barcelone où, le 5 novembre, au cours d'un festival de
l'Association de musique de chambre, on donne la première
audition du *Concerto pour clavecin (ou piano forte), flûte,
hautbois, clarinette, violon et violoncelle,* avec Wanda Landowska comme soliste.
L'accueil que reçoit le *Concerto* est celui que nous devinons.
N'est-ce pas la même chose aujourd'hui, pour les œuvres
du même genre ? Le lyrisme aride, sans aucun trait d'ironie,
l'absence de drôlerie et de danses du feu ou de la terreur, la
musique seule, sans ornements, pure et simple, étonne l'auditoire. On dit généralement que le créateur anticipe sur
l'époque à laquelle il vit. C'est le contraire : son époque se
reflète dans son œuvre ; c'est le public qui est en retard.

Avant son départ pour Barcelone, Falla a commencé un nouveau travail, laissant de côté, pour le moment, le projet de Messe qui l'occupe depuis quelque temps. A la prière de Gerardo Diego, poète de la dernière génération, et de Lorca, il met en musique un poème de Luis de Gongora pour les fêtes du troisième centenaire de la mort du poète. Ces fêtes donnent une idée du mouvement intellectuel qui suit l'année 1898, la nouvelle génération reprenant l'œuvre des initiateurs. Y participent Diego (principal organisateur, et ami de Falla), Lorca, Rafael Alberti, Moreno Villa, Damaso Alonso José Bergamin, José Ma del Cossio, Alfonso Reyes, Pedro Salinas. Tous entreprennent, levant les yeux vers Gongora, une recherche de la perfection formelle qui accentue l'objectivité, par rapport à la subjectivité de ceux de 1898, et les éloigne à grands pas de l'esthétique verlainienne de la sonorité. La distance qui les sépare de leurs aînés est la même que celle qui sépare le Falla du *Concerto* de celui de *L'Amour sorcier*.

Le 14 mai 1927, on chante à Paris le *Sonnet à Cordoue*, œuvre peut-être trop austère pour une voix féminine.

En novembre, rentrant d'un autre voyage à Barcelone, Falla arrive à Grenade, désireux de s'enfermer pour travailler à une nouvelle œuvre commencée quelques mois avant, *L'Atlantide*. Entre autres déclarations à un journaliste, il dit : *C'est l'œuvre dans laquelle j'ai mis le plus d'enthousiasme. Puissé-je avoir vie et santé, au moins pour la terminer. Ce sera une œuvre assez complexe, qui emplira tout le programme d'un concert. Il y aura des solistes vocaux qui représenteront le texte dramatique du poème, des chœurs et une partie orchestrale.*

Le poème est sorti d'une œuvre de Verdaguer et ce choix repose le problème de la sensibilité littéraire de Falla. Sa connaissance des meilleurs poètes et écrivains de l'époque, comme Lorca et Diego, la lecture de « Cruz y Raya » (Croix et Trait) qu'il a aidé à fonder, ou de la « Revista de Occidente » paraissent avoir été plus fortuites que voulues.

En 1928, Falla accepte les honneurs de la France. A Paris, entre le 12 et le 15 mars, plusieurs concerts sont organisés, et on lui décerne la Légion d'Honneur, au cours d'une cérémonie qui, au lieu d'être un grand festival Falla, est devenue, à sa demande, un concert de musique espagnole.

▼ *L'enregistrement du « Concerto » pour clavecin*   *Honegger et Falla* ▶

En novembre, après avoir terminé l'orchestration de son « Boléro », Ravel va à Londres recevoir les honneurs de l'Angleterre (le titre de « docteur honoris causa » à Oxford) et, à son retour, il s'arrête en Andalousie, chez Falla.

Pour le musicien espagnol, c'est une époque de voyages entrecoupés de maladies, la plupart d'entre elles d'origine purement nerveuse, comme cette iritis qui le tient quasi aveugle, dans un fauteuil, pendant presque six mois.

Vers la fin de l'année, Eschig publie le *Concerto* et, avec cette œuvre, un autre Falla entre dans l'histoire.

Le *Concerto* est peut-être la seule œuvre de Falla dont le style soit absolument irréprochable. Là, il atteint le pur abstrait, nourri de chair et de sang espagnols.

Avec le *Concerto*, il transforme en méthode ce qui n'était qu'insinuation dans *Le Tréteau*. Une poétique du renoncement – la même qui animera Stravinsky lorsqu'il atteindra une objectivité totale dans l'« Histoire du Soldat ». Le *Concerto* crée une forme qui approche de la forme classique par sa rigueur, et fait prévaloir, comme au XVIIIe siècle, l'élément formel sur l'élément expressif. S'y ajoute, en outre, la référence à la musique classique espagnole (intégration de la musique castillane), dans le deuxième mouvement de l'œuvre, en particulier dans une allusion à Milan, guitariste du XVIe siècle. Dans ce langage, nous trouvons la synthèse de tous les aspects de l'œuvre précédente :

1. Le concept de foyers et de pôles tonals, supplée en grande partie, à celui de tonalité.

2. L'harmonie, tantôt systématique, tantôt résultat fortuit d'une verticalité qui est, pour la première fois dans l'œuvre de Falla, vraiment polyphonique, produit beaucoup d'accords qui ne sont explicables que dans le système personnel de Falla.

3. La forme, résultat d'une soigneuse construction, utilise le développement d'un thème et, en même temps, la libre et ancienne conception du discours musical selon la ligne mélodique.

4. Par l'exploitation des régions les plus arides et les plus dures des instruments, par le travail dans des registres tout

à fait inhabituels, le *Concerto* acquiert toute sa force expressive et sa vigueur. De plus, la réduction volontaire de l'appareil orchestral s'accorde avec l'écriture sans remplissage ni redites.

A partir du *Concerto*, nous pouvons essayer de situer Falla dans la musique contemporaine. Devant deux zones bien définies – l'une occupée surtout par des Latins et des Slaves qui héritent du romantisme à travers Debussy et Ravel, en particulier, et l'autre, zone expressionniste avec Schœnberg dont la réaction contre le XIXe siècle se veut totale – la situation de Falla est double. D'un côté, l'orchestre de musique de chambre, sa polyphonie nouvelle, le sens nouveau de la couleur, son anticipation sur la musique d'aujourd'hui, ouvrent une porte. D'un autre côté, comme Stravinsky et Bartok, il clôt une lignée romantique (avec la lignée romantique espagnole), qui englobe presque deux siècles d'histoire. En second lieu, avec le *Concerto*, Falla détruit, en quelque sorte, le folklore pour construire sa musique. Maintenant, elle vaut uniquement par elle-même non par son origine.

Voici, approximativement, le schéma final de la situation de Falla :

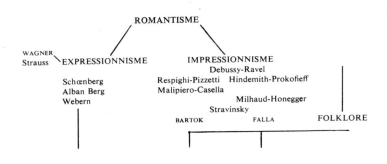

Dans ces années d'éclosion, une génération, que nous pouvons appeler celle de 1931, s'affirme et ébranle l'Espagne, pressée de rattraper le temps perdu. Pendant cinq ans, l'Espagne crée.

Il ne s'agit plus maintenant de tâtonner et de crier dans le désert car la République, aussitôt instaurée, écoute et approuve la voix des plus capables. La ligne directrice du mouvement musical, et même celle de toute la génération, est donnée par Falla. Mais sa retraite maladive se fait chaque jour plus profonde. Son catholicisme juge sévèrement l'athéisme républicain.

En 1933, fuyant les clameurs de Grenade, où la température monte, il séjourne quelques mois à Majorque, où il assiste à plusieurs exécutions de ses œuvres et où il cherche en vain de longs moments de solitude pour travailler à son *Atlantide*. Pour le chœur de la Capella classica, il fait la transcription libre d'une ballade de Chopin. Suivent ensuite quelques rapides voyages à Barcelone et un second voyage à Majorque où il reçoit, entre autres visites bouffonnes, celle de M. Douglas Fairbanks (fils) venu tout exprès dans l'île pour lui commander une *partition très espagnole, très forte et dramatique* pour un film. Falla l'accompagne jusqu'à la porte avec une politesse toute espagnole, le salue avec tous les égards et donne même quelque prétexte à son refus. *Cela me faisait le même effet que s'il était venu me commander un sac de pois chiches*, confie-t-il ensuite à Juan Ma. Thomas, son ami majorquin, directeur du chœur de la Capella.

En 1935, il reste pratiquement cloué à son fauteuil jusqu'à l'été. En janvier, il écrit que « *L'Atlantide* » *a repris son pas de tortue*, et un peu plus tard, il tombe malade à nouveau.

Au mois d'août, il reçoit une proposition des États-Unis au sujet de *L'Atlantide* : un chèque en blanc contre la première audition. Il refuse. Riche, que ferait-il ?

En décembre, une composition magistrale nous livre son ascétisme exprimé en trois pages : l'*Hommage à Dukas* (mort quelques mois avant).

A travers maladies et voyages, Falla voit de loin une situation politique qui atteint la démence et dont un gouvernement trop faible est le premier responsable. L'Espagne artistique atteint un niveau qu'elle n'avait pas connu depuis trois siècles, mais dans l'angoisse, et avec le pressentiment d'une interruption inévitable. L'effervescence est réelle ; seule une catastrophe pourrait l'abattre. Et la catastrophe vient.

Unamuno

« Il n'y a pas d'armées d'opérettes, il y a seulement des opérettes sur l'armée », dit un personnage de Malraux. Il existe peu d'exemples de barbarie comparables à celle de la guerre d'Espagne. La révolte, la répugnance qu'elle inspire empêchent de s'attarder sur les atrocités et la mort misérable de milliers de personnes. D'un seul coup, l'œuvre de la génération de 1898 et du début de celle de 1931 disparaissent. A partir de 1936, l'Espagne tombe dans l'abîme. Point zéro.

Pour Falla, le 18 juillet 1936 marque le début de trois ans et demi de silence interrompu par quelques lettres intimes. Trois ans et demi sans bouger de Grenade, malade, passant la plupart de son temps à aller de son lit à son fauteuil et de son fauteuil à son lit.

Son attitude rappelle celle de Gottfried Benn, d'un Benn catholique, sans scepticisme ni métaphysique, sans peut-être la lucidité de l'Allemand, mais profondément religieux.

Sa vie matérielle est assurée grâce au versement mensuel de mille pesetas que lui fait un ami musicien, le Père Otaño. Il peut ainsi subvenir à ses nécessités et à celles de sa sœur en attendant le déblocage de ses droits de la Société espagnole des auteurs.

Il travaille à *L'Atlantide* surtout, et aussi à une œuvre qui réunira l'*Hommage à Dukas*, et la *Fanfare* sur le nom d'Arbos à sa *Pedrelliana* — commencée en 1938 sur des thèmes de la *Célestine* de Pedrell — dans une suite qui s'appellera *Hommages*. Mais son travail est surtout mental ; sur le papier, les notations sont rares et fragmentaires. Pendant les heures où il se trouve seul avec ses souvenirs, il écrit quelques lettres à ses meilleurs amis. Il n'y parle déjà plus que de ses infirmités, de quelques menues choses et son regard se tourne vers le ciel, sans qu'il mentionne la désolation qui s'abat sur l'Espagne. Quand il écrit à don Segis, par exemple, le 1er novembre 1936, *profitant de la sensible amélioration qui, grâce à Dieu, commence à se faire sentir dans ses maux,* sa phrase la plus véhémente est : *votre lettre m'a fait un grand plaisir et particulièrement ce que vous me dites à propos de l'admirable catéchisme de Trente.* Il y revient dans une lettre, quelques jours plus tard, parce que, pour lui, c'est là que se trouvent *toutes* les solutions : *Continuez à lire le catéchisme de Trente - seule Vérité - et à prier pour moi à la Sainte Messe. Ma santé n'a pas changé depuis votre départ.*

Dans les petites choses de tous les jours, sa méticulosité égale celle qu'il met dans la préparation de son œuvre. La marque du papier qu'il utilise pour ses indispensables cigarettes mérite bien aussi qu'on lui consacre quelques instants : *Puisque vous n'avez pas trouvé de vrai* abadie, *je préfère, parmi les papiers espagnols, ceux qu'on emploie pour les cigarettes les plus grosses, si c'est possible ; la partie gommée est moins grande.*

A Séville, don Segis est l'unique lien qui l'unisse aux années passées. Depuis les répétitions du *Tréteau* - lointaines comme s'il s'était écoulé des siècles - don Segis est l'ami toujours prêt à intervenir quand il le faut. C'est à lui que Falla demande le livre inconnu à Grenade, l'article indispensable qu'on ne peut pas trouver à cause de la guerre. Parfois, Falla craint de l'ennuyer, mais il sait que Romero ne se lasse pas de lui rendre service et il l'en remercie mille fois.

Son idée sur la guerre est courte et simpliste. Pour lui, l'Espagne est celle des catholiques, où qu'ils soient, parce que ce sont eux qui possèdent la vérité : *Depuis que j'ai reçu votre première lettre, si aimable, qui m'a tranquillisé à votre sujet,* écrit-il à Gerardo Diego, le 27 mai 1938 *(bien que j'aie su indirectement que vous vous trouviez dans* notre *Espagne) j'avais le vif désir de vous écrire et j'ai même* commencé *à le faire, il y a quelque temps. Mais vous ne pouvez imaginer ce qu'est ma vie depuis que mes maux ont commencé, il y a 27 mois, malgré le bon moral qui ne m'a jamais fait défaut, grâce à la Providence de Dieu.* Sa conviction va jusqu'à lui faire entreprendre l'adaptation d'un thème de Pedrell pour un chœur à l'unisson, à la demande d'un régiment révolutionnaire qui veut chanter un hymne de lui. Bien qu'il ait cherché quelque chose de simple et de presque enfantin, le résultat était sans doute peu martial, car l'hymne ne fut jamais entonné.

Le pire, c'est l'interruption continuelle de son travail. La litanie revient, sans variations : *Que voulez-vous faire ? Je vous assure, cher don Juan, que ce n'est pas une vie, et le*

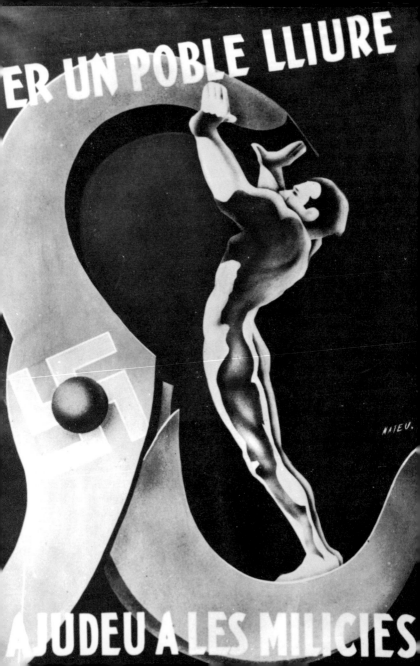

pire est que, dans cette situation, je n'arriverai ni à me soigner, ni à terminer cette pauvre Atlantide *qui ne cesse de m'appeler à grands cris sans que je puisse la secourir. Enfin, il doit y avoir une raison à tout cela, et il n'y a rien d'autre à faire que de se « laisser conduire » par la Volonté Suprême quand nos pauvres moyens se révèlent inutiles ou presque.*

Le gouvernement qui vient de nommer Picasso conservateur du Musée du Prado, nomme Falla président de l'Institut d'Espagne, créé à la ressemblance de celui de France. Nomination purement symbolique : Falla ne pourrait pas voyager pour prendre possession de sa charge et, en tous cas, sa position politique lui interdirait d'accepter.

Vers février 1939, il a une rechute qui lui interdit toute activité pendant plusieurs mois. Devant le spectacle de ce pays qui saigne atrocement, il ne fait qu'écrire des phrases monotones qui tournent toujours autour de la même idée : *Que Dieu nous donne la paix.* La paix qu'incarne Falla depuis vingt ans - depuis la réclusion de Cordoue - avec le signe de la croix qu'il met en haut de chaque page de sa correspondance. Faut-il lire aussi « Que Dieu me donne la paix » ?

Pendant sa convalescence, après l'opération de sa jambe, il apprend un soir que Lorca est en prison et que sa vie est en danger. Il peut à peine marcher mais prend une auto et se précipite à la « Comandancia ». Il parle au chef, demande des explications, essaie de trouver Lorca par tous les moyens. Quand il y parvient, l'assassinat est consommé.

Dessin de Lorca

Il ne peut rien faire d'autre que d'apporter la nouvelle à la mère du poète. Il était passé tout près de l'un des plus grands poètes de l'Espagne, sans pouvoir l'empêcher de tomber dans le piège.

La paix vient en avril. Le pays est en ruines. Pour ceux qui n'ont pu mourir, l'exode commence. En l'espace de six mois, l'Espagne achève de se vider. Écrivains, poètes, peintres, musiciens, philosophes, les trois quarts de la génération de 1931 s'en vont à Paris, surtout, et à Mexico, à Buenos Aires, à Montevideo. L'Espagne s'en va produire ailleurs.

Au mois de septembre, Falla décide de s'en aller aussi, mais il ne pense pas quitter son pays définitivement : sa situation économique lui a fait accepter plusieurs concerts en Argentine, sans qu'il soit sûr d'être complètement rétabli de ses dernières crises.

Après trois ans de guerre sauvage passés dans le silence, la souffrance et la prière, Falla s'en va. Ses amis, et surtout Valentin Ruiz Asnar, maître de chapelle à la cathédrale de Grenade, l'encouragent et lui offrent pour son retour une propriété dans la Sierra de Cordoue. Mais Falla insiste pour conserver sa petite maison de Grenade.

Il est évident que cette décision a été prise pour quitter un temps l'immense chaos dans lequel le pays se trouve, et revenir seulement quand les traces de la destruction seront un peu effacées.

Avant de partir, Falla écrit pour la revue « Isla » son dernier article, plus affectueux qu'analytique, pour dire adieu à son ami Ravel, mort le 28 décembre 1937. A partir de ces *Notes sur Ravel*, nous pouvons jeter un coup d'œil rétrospectif sur les écrits de Falla.

La conscience théorique – parallèle à l'indispensable magie de la création – a toujours été une qualité – plus ou moins développée – des compositeurs. Depuis les moines du IXe siècle qui composaient selon quelques règles dictées par leur goût, en passant par les polyphonistes flamands, puis par Monteverdi – qui a laissé un traité d'esthétique inachevé – la conscience théorique, peu sensible au public, a toujours été nécessaire au créateur. Chez certains, chez les romanti-

Le manuscrit de « L'Atlantide » chez Ernesto Halffter

ques, chez Wagner surtout, la nécessité d'une théorie de la création suscita la musique elle-même.

Les écrits de Falla n'entrent pas dans cette dernière catégorie. La preuve en est que tous, sauf la brochure sur le « cante jondo », qui n'est pas entièrement de lui, ont été écrits sur demande expresse, pour une occasion particulière. Ceci pourrait être sans importance : Falla aurait profité de certaines circonstances pour s'exprimer. Mais il est évident qu'il n'y a chez lui aucune volonté d'édifier des théories. Ses rares incursions dans le domaine qui borde la musicographie nous montrent un musicien intelligent et authentique, mais perdu dans la difficulté d'exprimer ce qu'il pense avec vigueur et préoccupé surtout d'écrire pour tout le monde.

Et ce qui surprend plus que tout, d'abord, c'est ce ton feutré, pusillanime, paternaliste, jamais combatif, ni aigu, ni ironique, avec un je ne sais quoi de « mité ». Cela, nous le comprenons mieux après avoir suivi ses conflits intérieurs, qui n'ont peut-être jamais été résolus.

La profondeur indubitable de certains passages est gâtée par ce ton où perce toujours la crainte de la colère divine, et qui n'emploie souvent, en outre, que des phrases toutes faites et pauvres. Cette rhétorique atteint souvent le comique, comme dans cette phrase initiale de sa note de présentation de l'Orchestre Bétique : *C'est avec une joie cordiale que je remplis la mission qui m'honore...* Ou bien : *Bon. La critique ne me plaît pas et, en me permettant de dire ce qui précède, je n'ai pas voulu censurer, mais seulement affirmer.* Ou encore : *Rien de ce que je dis ne doit susciter la plus légère suspicion sur mon intention de critiquer, même légèrement, les grands orchestres. Ce que je me vois obligé d'exposer, au sujet du programme esthétique de l'Orchestre Bétique, ne doit pas faire l'objet d'une interprétation déviée : je le regretterais profondément. J'ai constaté, d'autre part, que cette nouvelle association ne témoigne que respect et sympathie fraternelle envers les grands orchestres espagnols ou étrangers qui remplissent dignement leur haute mission. Et je sais aussi qu'elle prétend seulement, dans la mesure de ses forces, restituer aux œuvres classiques et modernes la physionomie qui leur est propre, mettant au service de cette fin son interprétation la plus attentive, mais sans le moindre désir, je le répète, d'établir une concurrence, loin de là : avec le seul souci de collaborer honorablement à l'œuvre commune...*

Le Falla qui part pour l'Argentine est le Bartok qui partira pour les États-Unis quelques mois plus tard. Les infirmités l'ont vaincu et il ne pourrait plus rien faire contre le milieu qui l'entoure. Recommencer la lutte à soixante-trois ans, après la table rase de la guerre ?, sans personne ? Non, Falla ne le pouvait pas. Ni son tempérament, ni son corps n'auraient soutenu longtemps une nouvelle offensive pour la reconquête du milieu. Conclure son œuvre, c'est son seul souhait, maintenant.

Le 2 octobre, par un soir pluvieux de l'automne catalan, Falla quitte Barcelone sur le transatlantique « Neptunia ». La deuxième guerre mondiale vient de commencer. Près de lui et de sa sœur Maria del Carmen qui l'accompagne, Frank Marshall et Segismundo Romero, venus l'embrasser. Est-ce que don Segis sent alors qu'ils ne se verront plus ? Don Manuel le sait-il aussi ?

A l'escale de Tanger, un journaliste insiste pour faire un reportage destiné à la « Revista Radio Nacional », de Madrid. Falla refuse, et toutes les prières restent sans effet. Les seuls mots qui sortent de ses lèvres sont : *Il y a vingt-cinq ans que je ne fais plus de déclarations à la presse. Croyez que je le regrette, mais je ne veux pas renoncer à cette habitude.* Et lorsqu'on lui demande de se laisser photographier : *D'aucune façon ! A mon retour, si vous voulez. Je vous promets que je m'arrêterai à Tanger puisque je ne connais pas l'Afrique et que je regrette beaucoup de n'avoir pas pu débarquer aujourd'hui, comme je l'avais imaginé. Je ne veux pas que ma photographie paraisse dans les journaux maintenant. Je suis encore trop malade. Je ne sais comment j'ai pu me décider à me mettre en route.*

Le 18 octobre 1939, Falla arrive à Buenos Aires avec sa sœur.

Dès l'arrivée, les membres de la « Institucion cultural española » s'occupent d'installer Falla, à son corps défendant, dans un grand hôtel du centre. Et tout de suite commencent les répétitions des œuvres espagnoles que l'orchestre symphonique et les chœurs du Teatro Colon doivent interpréter sous sa direction.

Jaime Pahissa, musicien catalan qui ne l'avait pas vu depuis de nombreuses années accourt pour le saluer pendant une répétition. Il le racontera ainsi : « J'entrai dans le théâtre, je montai sur la scène et attendis quelque temps, parmi les caisses, que l'on fasse une pause (...) la pause arrive et je vais vers lui ; je l'embrasse, Serré contre ma poitrine c'est une effrayante petite brassée d'os. Il me raconte comment il est venu, tout malade qu'il est, comment, pendant quatre ans, il a vécu assis dans un fauteuil, sans pouvoir bouger ni travailler. Encore maintenant, son corps est très faible et il remue sa jambe avec difficulté. »

Des quatre concerts qu'il dirige, le dernier (18 novembre) est consacré à des œuvres de lui et à la première audition de sa suite *Hommages*.

Pendant toutes les répétitions, il peut compter sur l'aide de celui dont il devait devenir l'ami, Juan José Castro, qui se charge des détails, rassemble le matériel, l'assiste chaque fois que cela est nécessaire. Falla, ému par ses attentions méticuleuses autant que par son autorité en musique lui témoigne à partir de ce moment, une profonde affection.

Après quelques semaines, à la fin des concerts, son état est encore aggravé. Complètement épuisé par le travail, il sent qu'il faut chercher tout de suite un endroit plus tranquille que l'immense capitale argentine. Il s'adresse à quelques-uns de ses proches – parmi eux, Cambo, l'homme politique espagnol exilé – qui lui trouve une propriété à Villa del Lago, dans la province de Cordoba. Les concerts lui avaient donné assez d'argent pour vivre quelque temps.

L'église d'Alta Gracia.

Le 19 janvier 1940, de cette nouvelle retraite dont le nom rappelait la lointaine Andalousie, il écrit pour la première fois à don Segis.

Depuis mon arrivée à Buenos Aires, avec l'achèvement de la « Suite », puis avec les quatre concerts, etc, etc, etc, je pouvais à peine prendre quatre ou cinq heures de repos par jour, et, les derniers jours que je passai là-bas, mon épuisement était tel que j'aurais succombé si je n'avais coupé le mal dans sa racine en venant m'installer dans ces montagnes de Cordoba. Avec l'aide de Dieu (je ne sais comment lui rendre grâces !), les concerts ont si bien marché que le « Colon » était plein les quatre soirs où ils eurent lieu. Et ils en demandaient encore !

Ici, je travaille et je rétablis ma santé. Avec l'aide de Dieu nous ne retournerons à Buenos Aires qu'en juin.

Après le voyage et les concerts précipités, ce silence, ces montagnes, et, à nouveau, Maria del Carmen, près de lui. Tout recommence comme quelques semaines avant : même solitude, même désir de travail paralysé par les mêmes infirmités, et dont les attaques sont de plus en plus féroces.

Tout ce qu'il peut faire, dans les dix mois qui suivent, ce sont quelques concerts supplémentaires pour équilibrer le budget qui risque de sombrer à nouveau. Ses maux ne lui permettent pas de songer à retourner en Espagne, et il décide de rester dans les montagnes de l'Argentine.

Le 26 mai 1941, il envoie une seconde lettre à don Segis : *Mon silence est dû à mon état de santé. Après l'opération que j'ai subie, il a fallu que je me soumette à une autre intervention chirurgicale.*

La convalescence a été longue et pénible et, quand il m'a semblé que j'allais bien, j'ai eu une hémorragie, avec toutes ses conséquences. Je m'en suis remis en partie, grâce à Dieu, et j'ai pu diriger deux concerts à Buenos Aires, le lendemain de l'Immaculée Conception. Providentiellement, tout alla à merveille, mais ensuite, à la fin de janvier, commencèrent ces fièvres dont je ne suis pas encore guéri, bien que, grâce à Dieu, elles aient tendance à disparaître, particulièrement ces jours-ci où ma température est redevenue presque normale ; mais je dois suivre un régime très sévère. A peine si l'on me permet de fumer, c'est vous dire ! Avec cela, l'organisation de ma vie et mon travail pâtissent comme vous pouvez le supposer, bien que le bon moral ne me fasse jamais défaut. Et j'espère que, quand le moment sera venu, tous ces ennuis passeront et que je pourrai faire à nouveau quelque chose d'utile.

Comme vous le voyez, nous demeurons dans ces terres cordouanes qui semblent être un prolongement de l'Espagne elle-même, non seulement à cause du paysage, mais aussi de la cordialité des amis et de l'émerveillement de retrouver notre langue à cette immense distance. Cela ne diminue pas, bien sûr, notre désir de retourner vers la Patrie, désir que nous réaliserons, avec l'aide de Dieu, quand cet horrible nuage de la guerre aura passé, qui me fait tant souffrir et contribue pour une grande part à alourdir mes maux.

Sa maladie permanente accentue certaines petites manies qui tournent à l'obsession. Par exemple, il ne sort pas de la maison, ni même de sa chambre, s'il a 36° 5 de température, le matin au réveil. Sa peur des courants d'air qui était un sujet de plaisanterie pour ses proches, devient quasiment métaphysique. Tout ce qui l'entoure, enfin, lui paraît être secrètement destiné à aggraver son mal et il cherche à discerner dans chaque petite chose, une cause possible d'infirmités nouvelles.

Si, au moins, il pouvait terminer *L'Atlantide* ! Mais le travail est chaque jour plus pénible.

Ce même mois de mai 1941, devant l'incertitude de son avenir, il décide de liquider sa maison de Grenade et il écrit dans ce sens à ses amis. Il ne veut pas laisser plus longtemps dans la poussière toutes les choses qui sont restées là-bas. A son retour, il acceptera peut-être une maisonnette à Cordoue, la Cordoue de l'Espagne...

Maria del Carmen avec son frère

Alta Gracia

La maison où il se trouve, près du lac San Roque, est belle et agréable, mais il ne veut pas continuer à gêner les propriétaires et loue, à la fin de 1941, une petite maison dans un autre petit village de la même province, Alta Gracia, où il s'en va avec sa sœur.

La maisonnette blanche de Alta Gracia, sur la façade de laquelle on lit « Los Espinillos » (Les Mimosas) devient alors un lieu de pèlerinage. Des communistes, des phalangistes, des catholiques et des athées y viennent. Tous veulent annexer Falla et, en même temps, profiter du voyage pour faire des articles dans les journaux. Il est toujours bon de parler de don Manuel comme d'une vieille connaissance. Mais Falla est déjà de l'autre côté, et il doit les regarder avec ce sourire andalou dont sa piété efface le sarcasme. Il doit penser que ces visiteurs sont tous fous. Il est dans sa solitude finale.

S'il pouvait finir son œuvre ! Mais sa manie de la révision est certainement devenue pathologique, bien qu'il n'en laisse rien paraître et ne s'en ouvre pas même à ses médecins. Étrange forme du délire : les versions s'accumulent pour chacune des parties de *L'Atlantide*. Quand il vivrait encore dix ans, il continuerait d'annoter à l'infini les diverses versions d'un même passage. Il se rend peut-être compte lui-même qu'il ne finira jamais cette cantate. Il est même possible qu'il ait oublié qu'elle devait avoir une fin.

En 1942, se sentant mieux, et pressé par les nécessités, il signe un contrat pour diriger deux concerts à la radio « El Mundo » de Buenos Aires, au mois de décembre. De retour à Alta Gracia, il subit une forte attaque nerveuse, plus dangereuse que les précédentes, conséquence de l'agitation et du lourd travail de la direction d'orchestre. Les médecins lui interdisent de diriger dorénavant, même les deux concerts qu'il avait prévu de faire, chaque année, pour « équilibrer le budget ».

A partir de ce moment, il ne sort plus de sa caverne, sauf le dimanche, quand le temps est beau (et sa température tout à fait normale), pour aller à l'église du village, antique édifice qui protège cette région. Les journées se passent très souvent à recevoir des visites. Parmi celles de tant de curieux, qu'il reçoit comme les autres, il y en a parfois une qui compte. Il parle à tous et écoute tout le monde.

Quand arrive 1944, la situation matérielle de Falla est catastrophique. Plusieurs musiciens espagnols et argentins, mis au courant, organisent une pétition qui trouve un écho en Espagne, pour le faire revenir et lui offrir l'assurance de vivre en paix les années qui lui restent à vivre. Il a soixante-huit ans. Les journalistes s'indignent de la pauvreté dans laquelle il vit et ils écrivent des phrases claironnantes.

La première mesure du gouvernement espagnol est de le nommer membre honoraire du Conseil supérieur de la Recherche scientifique et, presque aussitôt après, son retour est annoncé pour l'automne suivant.

Un journaliste parvient à pénétrer chez lui et, pour la première fois, Falla rompt le silence qu'il gardait vis-à-vis du public : « Il céderait tous ses droits sur son poème symphonique, » écrit le correspondant qui a oublié le titre de l'œuvre, « à la seule condition qu'on lui verse une petite somme fixe pour lui permettre de vivre sans souci les deux ans qui lui sont nécessaires pour le terminer. » Deux ans ! Et il y travaille depuis dix-sept ans ! N'est-ce pas une forme de folie que de consacrer un tiers de sa vie à la même œuvre ? Pour l'homme ordinaire, le besoin de perfection est une folie ; l'éternel est anormal.

Les mois passent et il ne reçoit que l'aide de ses amis. Que lui prépare-t-on en Espagne ? Il faut attendre.

En mars 1945, il fait connaissance d'un jeune musicien argentin, qui deviendra peintre, et finira par prendre racine à Paris, Sergio de Castro. Castro va presque toutes les semaines aux « Mimosas ». Il copie de la musique, écoute parler Falla, lui fait partager quelques rêves. Falla l'encourage dans son travail, heureux de trouver chez un jeune homme de vingt ans, une amitié parfaite qui le distingue tout à fait des visiteurs occasionnels. Castro est bientôt le seul, avec son médecin, que Falla puisse considérer comme quelqu'un de sa famille.

C'est à cette époque qu'il reçoit, enfin, l'offre capitale du gouvernement espagnol qui a intercédé pour que Falla récupère les droits d'auteur dont il n'a pas touché un centime depuis dix ans. C'est grand dommage que les moyens choisis n'aient pas tenu compte de son caractère. Il répond par une note. Il refuse : *tant que les autres artistes espagnols exilés volontaires comme moi ne toucheront pas leurs droits.*

Cette réponse irrite peut-être les intercesseurs, car ensuite ce sera le silence complet. Il ne lui reste plus qu'à vivre de charité.

Cette même année, il reçoit quelques dollars des États-Unis, pour l'autorisation qu'il a donnée d'utiliser sa musique dans un film où l'on voit Rubinstein attaquant, à trente centimètres du clavier, les accords en quintes vides de *La danse du feu.*

Falla n'a déjà plus ni la force, ni le désir de répondre à

son courrier. Une lettre est un véritable événement. Quand il apprend la mort de Zuloaga, la réflexion qui lui vient d'abord à l'esprit est qu'il lui devait une lettre depuis cinq ans !

Son emploi du temps, au moins pour la forme, n'a pas changé, mais le soir, quand il se met à composer, tout est difficile, difficile, et aucune version de tel ou tel passage ne parvient à le satisfaire.

Le matin, il lit un peu et se promène au jardin. Le déjeuner dure une heure ; il le prend à trois ou quatre heures de l'après-midi, selon une vieille coutume espagnole qui étonne les servantes. Ensuite c'est la sieste, toujours avant le coucher du soleil, et, entre 6 h 1/2 et 7 h., le thé que l'on prend sur la terrasse, en bavardant. Puis il travaille jusqu'à minuit, toujours la fenêtre ouverte, sur son Minipiano à sourdine fixe.

Certains après-midi ensoleillés, Sergio l'accompagne, se promenant lentement dans le jardin et le regardant trier minutieusement, du bout de sa canne, les petits cailloux de l'allée.

Tout près des montagnes, dans un endroit solitaire et tranquille, sa maison est comme une dernière étape avant l'évasion finale.

Le 12 septembre 1945, il écrit à don Segis une dernière lettre, qui est un adieu sans qu'il le sache. Il commence en s'excusant et en parlant du *manque de santé et de temps* que l'on sait. Plus loin, il explique :

Ce qu'il y a, c'est que ma vie n'a plus de tel que l'apparence et, pour ne pas abandonner mon travail de musique il faut que j'aille jusqu'à faire la chasse aux minutes... Pensez, mon cher Segis, que ces années dernières, j'ai subi une nouvelle opération chirurgicale, avec plusieurs hémorragies (suivies de très longues convalescences), des fièvres qui semblaient interminables, une iritis qui m'a privé de la vue pendant plus de six mois et, joints à tout cela, les soins que je dois donner à mon pauvre corps (je lui consacre plus de cinq heures par jour). Nous manquons d'aide pour veiller à la correspondance la plus urgente, de telle sorte que j'ai abandonné beaucoup de mes propres intérêts économiques, à la grande joie de mes éditeurs, naturellement. Mais enfin,

je ne sais comment remercier Dieu pour le bon moral que je garde,
providentiellement, au milieu de ces calamités, de même que
pour les bonnes dispositions que j'ai dans mes travaux de musique :
en effet quand je les reprends après une période de maladie,
il me semble que je les ai laissés la veille. C'est que je ne cesse de
travailler mentalement, sauf quand j'ai la fièvre.

Ce manque d'aide auquel j'ai fait allusion, nous n'en souf-
frions pas à Cordoue ou à Buenos Aires où nous comptons tant
de bons amis, mais Alta Gracia (où nous vivons parce que cela
convient à ma santé) n'est qu'un lieu de tourisme... En revanche
nous jouissons d'un paysage délicieux, mi-espagnol, mi-italien,
avec des montagnes, une prairie verte et fleurie, et un climat qui
serait magnifique s'il n'y avait pas cet interminable été et le
vent chaud si fréquent qui est le mal dont souffre toute cette ré-
gion. Pour le reste, on se croirait en Espagne, malgré l'immense
mer qui nous sépare (...)

Dites-moi comment vont votre santé et vos affaires et donnez-
moi des nouvelles de nos amis communs. Je ne me risque pas à
les nommer individuellement, de peur qu'il en manque quelques-
uns et à cause de la peine que j'éprouve, quand cela arrive,
en pensant que je ne les verrai plus dans cette vie... L'actuel
Orchestre Bétique s'est-il tu définitivement ?

(...) Je termine pour aujourd'hui, cher Segis ; quand pour-
rai-je vous écrire à nouveau ? Si je ne le fais pas, vous pouvez
être sûr, mais absolument sûr que ce ne sera jamais parce que
je n'ai pas envie de bavarder avec vous, encore que ce ne soit
que par lettre. En vérité, je vous remercie de vous rappeler tou-
jours de moi, en présence de Dieu, comme je le fais pour vous.

Maria del Carmen vous envoie ses souvenirs cordiaux et
votre fidèle ami vous serre dans ses bras.

Falla était convaincu que sa vie se déroulait par septennats,
chacun d'eux marquant nettement une période de son évolution. Il en parlait souvent. 1946 arrivant, il se demande ce
que lui réserve cette nouvelle période clôturant celle qui
avait commencé à son départ d'Espagne. Et maintenant ?
Parfois, il pressent l'arrivée. L'idée de la mort lui est devenue familière. Il en parle souvent, demandant, comme Verdi,

que le jour de sa mort, on ne mette près de son corps qu'une croix et un cierge.

De sa flamme, il ne reste plus que la vivacité de ses petits yeux enfoncés dans la géométrie de son visage. Bien que Falla demande au ciel de lui laisser le temps nécessaire, il sait très bien que son œuvre restera inachevée, et dans ses prières, il se préoccupe plutôt de préparer dignement son passage.

Il tient à régler le plus important et répète de temps en temps que s'il meurt en Argentine, il veut qu'on l'y enterre et qu'on l'y laisse : *Je ne veux pas que ma mort soit un sujet supplémentaire de division pour les espagnols,* dit-il.

Un matin, le 14 novembre, quelques jours avant ses soixante-dix ans, la servante n'obtient pas de réponse en frappant à sa porte. Une crise cardiaque a mis le point final.

Ceux qui accourent à la nouvelle de sa mort pour en faire un événement, ne pouvaient tenir compte des paroles qu'un vieillard, en possession du corps de Manuel de Falla, avait laissé échapper dans un moment de générosité.

Maria del Carmen, incapable de prendre 'avec fermeté les décisions nécessaires, se voit dans l'obligation de s'en remettre entièrement à l'ambassade d'Espagne à Buenos Aires.

Et on organise soigneusement le carnaval.

Tout d'abord, le Docteur Aran, attaché à l'ambassade, décide, avec l'approbation chaleureuse de l'ambassadeur, que le corps serait embaumé pour qu'on puisse le transporter plus commodément. Ensuite, c'est l'ambassadeur lui-même qui arrive par avion, à la suite de l'embaumeur, et s'empresse de se faire photographier près du Minipiano.

D'autres aussi s'occupent de la mort de don Manuel, pressés d'intervenir. Le curé de Cordoba veut emporter le corps et organiser tout de suite les cérémonies. Mais il doit attendre, parce que les fonctionnaires de l'Ambassade sont arrivés avant lui (l'un d'eux prend tous les papiers qui lui tombent sous la main, les partitions et les manuscrits).

Le 19, on célèbre des funérailles splendides dans la cathédrale de Cordoba, en présence du gouverneur de la province, de l'ambassadeur et d'autres autorités de toutes sortes, après avoir offert le corps à l'admiration du public pendant plusieurs jours.

Une croix et un cierge ? Non, non et non. Des lustres, des tapis, des fleurs, de l'encens et beaucoup de prêtres revêtus des ornements des grands jours. Auparavant on a célébré une messe à la chapelle de l'hôpital de Cordoba – en manière de répétition – et maintenant, le faste atteint son point culminant.

Le spectacle terminé, on promène Falla dans les rues sur l'air de « La Romance du pêcheur ». Que voulez-vous, Falla n'avait pas pensé à écrire une marche funèbre !

On lui fait une sépulture provisoire dans le caveau des Pères Carmes au cimetière San Jeronimo, avant de le transporter à Buenos Aires. De là, on l'embarque avec sa sœur sur « Le Cap de Bonne Espérance », jusqu'au transbordement aux Canaries, sur un navire de guerre espagnol qui le débarque à Cadix. Là, le vacarme reprend.

Une cérémonie impressionnante se déroule dans sa ville natale, avec la participation des autorités. Par une pluvieuse matinée de l'hiver andalou, le 9 janvier 1947, il est enterré dans la crypte de la cathédrale. Le Chœur de la Capella Classica chante Bach et Vittoria.

Là, on le laisse en paix.

L'inscription qu'il avait demandée a été respectée, et elle vient annuler toutes ces pompes : *L'honneur et la gloire ne sont que de Dieu.*

L'Atlantide, et après?

L'histoire de *L'Atlantide* ferait un livre à elle seule.

Des dix-neuf années pendant lesquelles Falla y a travaillé, il faut en déduire deux, les premières, consacrées à un énorme effort de préparation, avec l'étude du catalan – le poème est écrit dans cette langue – puis l'interpolation des textes pour obtenir un livret satisfaisant, suivant la méthode employée précédemment pour *Le Tréteau*.

Les dix-sept années suivantes furent occupées par la composition des chœurs et des passages de musique instrumentale de cette immense cantate qui dure plus d'une heure et demie.

Après la mort de Falla, le problème se pose à ses frère et sœur German et Maria del Carmen, de savoir s'ils devaient ou non charger un musicien de terminer l'œuvre. Ils étaient ses héritiers et les seuls autorisés à prendre un parti.

La décision finale, affirmative, s'explique par le désir de sauver l'œuvre qui représentait probablement le travail le plus important de Falla, et de l'intégrer de quelque façon que ce soit, à la musique espagnole.

Et cependant, le problème semblait insoluble. Comment terminer? Selon quelles données? Le système harmonique et le langage même sont-ils ici si définitifs et achevés qu'ils

Ernesto Halffter ▲

donnent une règle permettant de relier des fragments incomplets ? Et en face de l'accumulation des versions différentes pour de nombreux passages, laquelle choisir ? Le fait est qu'on a décidé de la terminer. Surtout pour que cette œuvre vienne dissiper un doute, un doute sur l'importance véritable de Falla, que l'ensemble de son œuvre montrerait mieux. Malgré la force et l'originalité du *Tréteau*, la perfection du *Concerto*, la netteté de l'*Hommage* à Dukas, nous pourrions penser qu'il manque à Falla une troisième dimension. Est-il aventureux de prédire que l'*Atlantide* dissipera ce doute ? Aventureux de dire qu'elle est l'équivalent de « Wozzek » ou de « Pelléas », un sommet de l'histoire de la musique ?

De 1946 à 1954, il s'est passé beaucoup de choses, sous le titre « Histoire des chercheurs de l'Atlantide ».

Décidé à se charger de l'affaire, German Falla hésita longtemps. La mort de Falla avait attiré une foule de musiciens qui accouraient chez les héritiers, déployant leur éloquence pour essayer de les convaincre. Pendant huit ans, rien ne fut décidé, jusqu'à ce que le gouvernement espagnol intervînt. Enfin, on pressentit Ernesto Halffter, qui connaissait intimement le Maître et possédait bien sa technique. Halffter entreprit la révision et le classement des manuscrits.

Cela fait, et avant de commencer la réduction pour piano, il dressa un état de l'œuvre avec la durée et la nature des tâches à réaliser. Voici ce document :

L'ATLANTIDE

Cantate scénique en trois parties et un prologue. Poème de Jacinto Verdaguer adapté et mis en musique par Manuel de Falla.

A. PROLOGUE : L'Atlantide submergée – Hymne hispanique (terminé – à revoir et à corriger).

B. PREMIÈRE PARTIE : Incendie des Pyrénées – Fondation de Barcelone (Le chœur est achevé mais l'orchestration est presque entièrement à faire).

C. DEUXIÈME PARTIE : Hercule à Cadix – Le jardin des Hespérides - Lutte entre Gédéon et le dragon – Les Pléiades. Les Atlantes, les Titans et les géants poursuivent Hercule – La voix divine – Le percement du Détroit – L'Archange - Voix messagères – La cataracte – Le déluge-Non plus ultra. (Extrême confusion de la musique et du livret car il y a deux versions à dépouiller et à unifier. Composer et donner forme à l'ensemble – A orchestrer dans sa totalité.)

D. TROISIÈME PARTIE : Le pèlerin (Colomb) – Songe d'Isabelle dans l'Alhambra – Les Caravelles – Le Salve sur la mer – La nuit suprême (méditation de Colomb). (Très préparé; les parties sont complètes : il faut revoir à l'aide des brouillons et des premières études improvisées et lier le tout. On souhaite donner pour la première fois le Salve en suffrage, à la cathédrale de Grenade.)

ÉTAPES DU TRAVAIL : Le Prologue et la troisième partie (A) et (D), de juillet à septembre de cette année 1954. La première partie (B), de septembre 1954 à avril 1955, en se guidant pour réviser et corriger sur ce qui sera fait dans les parties (A) et (D). En même temps, préparation du matériel des parties de chant et orchestre pour A, B et D et, en même temps, leur transcription pour chant et piano. La deuxième partie (C), d'avril 1955 jusqu'à la date du trimillénaire ; avec cette deuxième partie, l'œuvre est complète et on peut préparer la représentation scénique prévue pour cette date.

Ce trimillénaire de la fondation de Cadix tombait en 1956, mais la première audition de *L'Atlantide* n'eut pas lieu. Mille complications surgirent à partir d'intérêts divers. Il serait laborieux de les énumérer. Il semblait que cette œuvre fût condamnée à n'être jamais terminée.

A la fin de 1956, Halffter fit quelques déclarations à la presse : « Depuis le moment où les projets furent exposés au Chef de l'État j'ai travaillé continuement à l'Atlantide, sauf en de brèves périodes. (...)

« La première de l'Atlantide aura lieu en Espagne. C'est promis publiquement, comme vous le savez, au Chef de l'État, dont je veux que vous souligniez l'intérêt qu'il porte à cette affaire. C'est aussi le désir du Ministre de l'Éducation, Jesus Rubio, toujours si attentif aux problèmes musicaux ».

Dans d'autres déclarations, il ajouta : « C'est notre intention et notre désir. Je veux dire ma gratitude envers le Ministre de l'Éducation Nationale grâce à qui j'ai pu travailler à ce qui m'a été confié. Grâce à la liberté que le Chef de l'État et son Ministre de l'Éducation m'ont laissée et à la confiance qu'ils ont mise en moi et qui m'obligent à redoubler mes efforts. »

Ensuite, le silence se fit à nouveau.

Tout ce qu'on pouvait souhaiter, c'était que l'auteur de l' « Hymne à Franco » parvînt rapidement à mettre au net le dernier accord, pour que nous fût enfin révélée une inconnue qui devenait légendaire.

En novembre 1956, Halffter démentit les rumeurs selon lesquelles la première représentation n'aurait pas lieu en Espagne, mais ses fréquents voyages ultérieurs à Paris et Milan laissaient supposer qu'elle aurait lieu en France ou en Italie.

Finalement, l'*Atlandide* fut donnée pour la première fois à Milan, en juin 1962. Elle avait été précédée les 24 et 30 novembre 1961, de l'exécution de quelques fragments à Barcelone et Cadix.

La maison Ricordi, chargée de l'édition, et les impresarios de la Scala n'étaient pas étrangers à ce changement. De sa tombe, Falla ne pouvait refuser l'or que d'autres acceptaient pour lui.

Première représentation discutable. Non seulement on avait préféré la langue italienne pour échapper au dilemme : version originale catalane ou traduction espagnole ; mais en plus, on avait fait d'importantes coupures dans la partition.

Il fallut attendre mai 1963 pour entendre l'œuvre complète à Buenos Aires, grâce à l'initiative du théâtre Colón.

Mais l'exécution tant attendue se révéla très décevante. A peine terminées les (magnifiques) treize premières mesures du meilleur Falla – sombres et admirables comme *le Tombeau de Paul Dukas* –, l'ombre de Debussy, la persistance excessive de la tonalité classique, démentie seulement par des modulations ou des changements de ton trop évidents, et la pénible affirmation de l'accord parfait, font des solos et des chœurs une succession de voix d'un déroulement trop prévisible.

Certains passages exceptionnels (– le numéro trois de la première partie, *Cantique à Barcelone*, d'une polyphonie complexe et brillante et d'une harmonie libérée de tout élément étranger ; – le début de la romance d'Isabelle, avec une extraordinaire mélodie d'origine folklorique soutenue par une harmonie très subtile) ne font que renforcer cette désagréable constatation : *l'Atlantide* n'est pas le chef-d'œuvre posthume que nous aurions voulu entendre. L'analyse permet de dégager essentiellement la notion classique, conventionnelle, même, de tonalité, et seuls demeurent les principes romantiques : grand orchestre symphonique, forme de cantate, développement selon des notions traditionnelles allant jusqu'à la rhétorique. Et mettre en évidence l'échec d'une grande ambition : celle de se mouvoir dans les hautes sphères d'expression.

Mais s'agit-il vraiment d'une œuvre de Falla ? Oui, car il a entièrement écrit de sa main la première et la troisième partie ; non, car la main de Halffter a dû peser de façon décisive dans la seconde. Disons que, de toutes façons, les deux-tiers au moins sont certainement de Falla, et que les mêmes contradictions de langage du reste montrent que l'élève a sans doute été totalement fidèle dans son travail.

Il arrive un moment dans l'histoire, où toute la valeur d'un créateur peut se réduire à une formule. C'est comme si un symbole graphique – comme en chimie – pouvait remplacer les explications, tout résumer. A partir de ce moment, on fait moins de recherches sur l'auteur, et il ne reste plus rien qui permette de faire de nouvelles découvertes de manuscrits. Alors, tout comme on reprend les mêmes éditions revues, les mêmes œuvres avec les mêmes caractères d'imprimerie on répétera la phrase qui contient tout ce qu'on peut dire, la formule définitive.

Il est certain que l'œuvre de Falla est un pont entre l'impressionnisme et le mouvement que, faute d'une meilleure dénomination – nous appelons néo-classicisme. Mais, d'un point de vue plus espagnol, on peut dire aussi qu'il est un pont entre la génération de 1898 et celle de 1931 et entre celle-ci et nous.

Son œuvre n'est comparable qu'à deux autres, exceptionnelles d'ailleurs, dans l'histoire de la musique espagnole.

Par sa beauté, aux « Cantiques » d'Alphonse le Sage (merveille que déprécient naturellement ceux qui prétendent que la musique doit être une succession de sombres labyrinthes). Par sa solidité formelle et la perfection de sa construction, aux œuvres du XVIe siècle, à celles de Vittoria et de Morales surtout.

Si nous essayons d'obtenir un schéma des points fondamentaux de l'œuvre de Falla, nous remarquerons surtout :

1. A la fonction absolue s'ajoute la fonction historique, comme chez Bartok et les impressionnistes ; non pas dans l'harmonie, comme chez ces derniers, mais dans la forme et le caractère, comme chez le musicien hongrois.

2. Créateur par évolution – évolution lente et constante qui signifie un perfectionnement dans la durée. Chaque œuvre est un pas, lent et médité, qui éloigne de ce qui a précédé.

3. Les lignes parallèles de cette évolution :
du romantisme au classicisme
de la sensualité à l'austérité
de la musique andalouse à la musique castillane
de la musique symphonique à la musique de chambre

4. Créateur s'inspirant du folklore = musicien national. Il commence par ce que nous avons appelé la deuxième solution et finit par la troisième.

Pour la technique : tonal par excellence, attaché aux principes parmanents, à travers la réflexion théorique. De la famille des impressionnistes et de Stravinsky – Pas d'expressionnisme (pôle latino-slave).

5. Économe – Une œuvre peu étendue mais parfaite – Forme irréprochable – Manie de l'exactitude – Ressemblance avec Dukas.

6. Autodidacte, par opposition aux scolastiques – Antiformaliste (par opposition à l'académisme).

7. Théoricien implicite (articles occasionnels, qui n'abordent pas la musicographie).

Comme Pierre Boulez de Schönberg, Maurice Ohana descend de Falla, mais il était appelé à réaliser une œuvre autrement universelle que celle de son prédécesseur, et ses débuts de musicien nationaliste n'indiquèrent que les premières directions de sa recherche. Ainsi, si paradoxalement la « Plainte pour Ignacio Sánchez Mejías » de Ohana est la meilleure œuvre de Falla car elle résout le conflit de *l'Amour sorcier* et inscrit le système musical andalou dans l'orbite européenne, – par la suite, à partir des « Cantigas », Ohana s'éloigne de ses origines pour s'élever à la hauteur des grands compositeurs européens de ce siècle.

A partir de 1960, une série de grandes œuvres : « Carillon pour clavecin », « Tombeau de Claude Debussy » (1962), « Signes » (1965), « Synaxis » (1965-1966), « Syllabaire pour Phèdre » (1966-1967), « Sybille » (1968), « Cris » (1968), ainsi que le puissant « Silenciaire » (1969) et le fulgurant « Streams », pour basse, piano et trio à cordes, ou l' « Autodafé » représenté en 1971 (quatre mille voix, triple chœur, orchestre, bande magnétique et acteurs), confirme que l'attitude nationaliste a été totalement abandonnée et que seul un pouvoir créateur capable de s'élever au-delà de données purement locales, pouvait aspirer à atteindre certains sommets.

A dater de certaines de ces œuvres qui constituent un dénouement, un *accomplissement*, à la fois fin et commencement, se profile déjà un art nouveau qui efface définitivement les dernières brumes post-germaniques et dodécaphoniques, pour affirmer, avec l'heureux usage des moyens techniques toujours mis au service de l'inexplicable, un chant resplendissant et dramatique comme la terre africaine et méditerranéenne.

Tableau chronologique

Pour les Œuvres de Falla, la date indiquée est celle où les œuvres furent achevées.

	1870
	1871
Naissance de Manuel Maria de Falla y Matheu, à Cadix.	1876
	1878
	1881
	1882
	1883
Premières études de piano	1884
	1885
	1886
	1887
Etudes de piano avec José Trago. Voyages réguliers à Madrid.	1890
Lecture des partitions de Wagner. Premiers concerts.	1891
	1892
	1893
	1895
La famille Falla s'établit à Madrid ; entrée au Conservatoire Royal.	1896

Retour à Paris de Victor Hugo. Première de « Carmen » (échec).
Bataille de Sedan.

Naissance de Paul Valéry

Franck, professeur d'orgue au Conservatoire de Paris ; son élève Duparc travaille à ses « Mélodies ». Liszt, « L'arbre de Noël ». Mallarmé, « L'après-midi d'un faune ». Mort de Bizet.
Alphonse XII entre à Madrid à la tête de son armée. Nouvelle constitution espagnole.

Albeniz rencontre Liszt à Budapest.

Naissances de Bartok et Picasso. Mort de Moussorgsky.

Naissance de Stravinsky. Wagner : « Parsifal ».

Mort de Wagner. Chabrier. « España. »

« L'enfant prodigue », vaut à Debussy le Grand Prix de Rome.

Naissance d'Alban Berg

Mort de Liszt

Rimsky-Korsakoff, « Capricio Espagnol ». Debussy, « La demoiselle élue ».

Strauss, « Mort et Transfiguration ».

« Pour notre musique », manifeste de Pedrell. Naissance de Prokofieff

Naissances de Milhaud et Honegger

Debussy, « Quatuor ». Article de Césare Cui, en Russie, sur Pedrell.

Albeniz, « Henri Clifford ». Fauré, « 5e Barcarolle ». Debussy travaille à ses « Trois Nocturnes » et joue chez Pierre Louys quelques fragments de « Pelléas et Mélisande ». Ravel, « La Habanera ».

Mort de Verlaine

Valse Capricio. Nocturne. Sérénade Andalouse.	? 1897
	1898
	1899
Cancion para piano	1900
Rencontre Pedrell qui vient de s'installer à Madrid à la suite de sa nomination au Conservatoire.	1901
Se lie d'amitié avec le compositeur de « zarzuelas » Federico Chueca. Travaille avec Pedrell. **Los amores de la Inès. Allegro de concert. Tus ojillos negros (Tes petits yeux noirs).**	1902
Révision de **La Casa de tócame Roque.**	1903
Pedrell quitte définitivement Madrid : fin des études de Falla.	1904
Plusieurs concerts de piano, à Madrid et en Province. Lauréat du concours de l'Académie royale avec son opéra : **La vie brève.**	1905
Démarches inutiles afin de faire jouer son opéra **La vie brève.** Découvre le livre de Louis Lucas : *Acoustique nouvelle.* Longues méditations.	1906

Première exposition Picasso au cabaret
« Els quatre gats » (les quatre chats) à
Barcelone.

Eclosion de la jeune littérature espagnole :
Azorin. Valle-Inclàn. Pio Baroja. Jiménez.

Essais de Unamuno et Ortega y Gasset.
Mort de Mallarmé.
*Guerre avec les Etats Unis : Perte de Cuba,
des îles Guam, des Philippines, dernières
colonies espagnoles.*

Naissances de Lorca et Poulenc. Schönberg, « La nuit transfigurée ».

Schönberg. « Gurrelieder ».
Poussée nouvelle du séparatisme catalan.

Dukas, « Sonate pour piano ». Mort de
Verdi. Pedrell commence ses conférences
à Madrid.

Ravel, « Quatuor ». Satie, « Morceaux en
forme de poire ».
Alphonse XIII monte sur le trône

Alban Berg, « Lieder ». Schmitt, « Psau-
me XLVI »
*Expansion de l'anarchisme. Création du
parti catalan. Guerre russo-japonaise.*

Blanche Selva joue à la Schola Cantorum
« La Vega », d'Albeniz. Ravel, « Sonatine ».
Première de « Pelléas » à Bruxelles. Picasso
s'installe définitivement à Paris. Debussy,
« La Mer ».
*Attentat, à Paris, contre Alphonse XIII
et le président Loubet. Isolement de l'Espa-
gne par rapport aux autres pays européens.*

Bartok effectue en Espagne une série de
concerts. Alban Berg, « Sonate pour
piano ».

1906

Départ pour Paris. Voyages : France, Belgique, Suisse, Allemagne. (Retour à Paris). Rencontre Ravel. **1907**

Rencontre Ricardo Viñes, Dukas, Debussy, Albeniz. Démarches pour la représentation de *La vie brève*, qui dureront jusqu'en 1913. Déménagements successifs. Réunions hebdomadaires chez Delage. **4 Piezas Españolas.** **1908**

Révision de *La vie brève*. **Trois mélodies,** (poème de Gautier). **1909**

Concert au Havre. Première des *Trois Mélodies.* **1910**

Voyage à Londres, concerts. Projets d'une *Carmen* et d'un *Barbier.* **1911**

Tombe gravement malade ; est hospitalisé. Crise religieuse. **1912**

Fait la connaissance de l'éditeur Max Eschig. Signe un contrat. Voyage éclair en Italie (Ricordi), sans résultat. Première de *La vie brève*, à Nice. **1913**

Première de *La vie brève*, à Paris. **Sept chansons populaires.** **1914**

Première des *Sept chansons*, à Madrid. Fondation de la « Sociedad Nacional de Musica ». Fait la connaissance de Salazar. Donne beaucoup de concerts de musique contemporaine. Se rend à Barcelone. Au retour, crise très grave, est hospitalisé. **L'amour sorcier (première version.)** **1915**

Traité d'Algésiras. L'Espagne garde la souveraineté au Maroc. Nouvel attentat contre le roi. Essor momentané des institutions musicales.

Schönberg, Première de la « Symphonie de chambre ». Ravel, « Rhapsodie Espagnole ». Naissance du Trio Cortot-Thibaud-Casals.

Blanche Selva joue chez la princesse de Polignac les deux premiers cahiers d' « Iberia », d'Albeniz. Première du « Boris Godounov » de Moussorgsky, à Paris (Chaliapine). Mort de Rimsky-Korsakoff.

Mort d'Albeniz. Strauss, « Elektra ».

Première posthume de « Catalonia », d'Albeniz aux Concerts Colonne. Voyage Pedrell en Argentine. Les Ballets Russes à Paris. Fondation de la « Société Musicale Indépendante » (Fauré, Ravel, Delage, Schmitt). Stravinsky, « L'oiseau de feu ».

Stravinsky « Petrouchka ». Debussy, « Le martyre de Saint Sébastien ». Schönberg publie son « Traité d'harmonie ». Bartok, « Le château de Barbe-bleue ».

Bartok et Kodaly assistent à Rome à un congrès musicologique. Schönberg, « Pierrot Lunaire ». Ravel, « Daphnis et Chloé », Roussel, « Le festin de l'araignée ».

Stravinsky, « Le sacre du Printemps ». Maladie de Stravinsky. Turina, « La procession de la rosée ». L'orchestre symphonique de Madrid (dir. Arbos) arrive à Paris. Fauré, « Pénélope ».

Naissance de Maurice Ohana.
Le « Mancomunitat » à Barcelone consacre pratiquement la séparation des provinces catalanes. Essor en Catalogne.

Debussy, « Suite en blanc et noir. » Mort de Scriabine. Prokofieff, Symphonie classique.

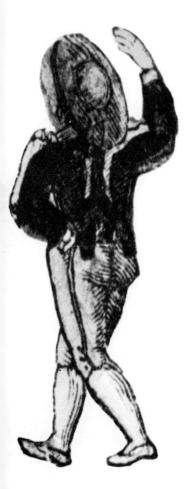

Se rend à Grenade avec Diaghilev et Stravinsky. Préface le livre de Jean Aubry: « La musique française contemporaine. » **Nuits dans les jardins d'Espagne. L'amour sorcier (version dèfinitive).**	**1916**
Ecrit un Prologue pour un livre de Turina, un article pour la revue « Musica ». Démarches pour aider Stravinsky. **Le Tricorne (première version).**	**1917**
Refuse l'offre de Diaghilev d'écrire Pulcinella à cause de son opéra **Feux Follets,** en chantier.	**1918**
Mort de son père et de sa mère. Succès du *Tricorne* à Londres (Ballets Russes). S'installe à Grenade. **Fantasia Baetica (Fantaisie Bétique). Le Tricorne (deuxième version).**	**1919**
Fait la connaissance de Lorca. Article sur Debussy dans la « Revue Musicale ». Portrait par Picasso (dessin).	**1920**
Plusieurs voyages	**1921**
Plusieurs concerts à Londres. Organise avec Lorca un concours de « Cante jondo », publie anonymement une brochure sur le chant populaire andalou. Semaine sainte à Séville, avec Lorca. Fait la connaissance de Segismundo Romero. Maladie. **El Retablo de Maese Pedro.**	**1922**
Première du *Retable* à Séville, grâce à la collaboration de Romero. Article sur Pedrell dans la Revue. Voyage Belgique, Paris-Italie. Première du *Retable* à Paris, chez la Princesse de Polignac.	**1923**
Fondation de l'orchestre Bétique de chambre. Article le présentant au public. **Psyché.**	**1924**
Courts voyages en Espagne	**1925**
Se rend à Paris. Festival de Zürich. **Concerto pour clavecin, flûte, hautbois, clarinette, violon et violoncelle.**	**1926**
Se rend à Paris et à Londres. Début de la conception de l'*Atlantide.* **Soneto a Cordoba (sonnet à Cordoue).**	**1927**

Ravel, « Le tombeau de Couperin ».
Satie, « Parade ».
Révolution communiste en Russie.

Mort de Debussy. Stravinsky et Ramuz,
« L'histoire du soldat ».

Ravel, « Valse ». Prokofieff, « L'amour
des trois oranges ». Bartok, « Le mandarin
merveilleux ». Cocteau, « Le coq et l'arle-
quin ».

Alban Berg, « Wozzeck ».

Schönberg, « Cinq pièces pour piano ».
Milhaud, « La création du monde ».
Honegger, « Pacific 231. »
Un militaire reçoit le pouvoir du roi.
Situation tendue. Arrêt de l'essor catalan.
Assujettissement des provinces séparatistes.

Morts de Fauré, Satie, Puccini. Hindemith, « La vie de Marie ». Breton, Premier
manifeste surréaliste.

Ravel, « L'enfant et les sortilèges ».

Stravinsky, « Œdipus-Rex ».

Concerts à Paris. Légion d'honneur. **1928**
Rencontre Ravel qui vient chez lui à
Grenade.

1929

Enregistrements et voyages. Maladies **1930**
intermittentes.

Maladie nerveuse. Voyage Paris-Londres. **1931**

Immobilisé à Grenade. **1932**

Passe six mois à Majorque. Notes sur **1933**
Wagner.

Nouveau voyage à Majorque. Plusieurs **1934**
transcriptions. Membre de l'Institut de
France au fauteuil d'Elgar. **Ballade de
Majorque.**

Toujours malade. Refuse une proposition **1935**
américaine pour l'Atlantide. **Hommage
à Dukas.**

Maladie. Reclusion à Grenade. **1936**

Notes sur Ravel. **1937**

Se rend en Argentine. Plusieurs concerts **1939**
Homenajes (**Hommages, suite**).

Demeure à Buenos Aires, avec sa sœur **1940**

Très malade. Déménagement : Alta Gracia **1941**

Se plaint de ses maux. Ecrit peu **1942**

Ne bouge plus **1943**

Toujours malade. Situation économique **1944**
désastreuse.

Fait la connaissance de Sergio de Castro **1945**

Mort de Manuel de Falla. **1946**

Ravel, « Boléro ». Alban Berg, « Lulu ».

Stravinsky, « Symphonies de psaumes ».
Dallapiccola, « Due liriche ».

Ravel, deux concertos pour piano. *Abdication d'Alphonse XIII. Instauration de la République espagnole.*

Schönberg, « Deux pièces op. 33 ».
Mise à feu des églises.

Schönberg, « Suite de cordes ». Prokofieff, « Le lieutenant Kigé ».

Bartok, « Musique pour cordes, celesta et percussion ».

Guerre civile espagnole.
Messiaen, « La nativité du Seigneur ».
Stravinsky, « Jeu de cartes »

Bartok, « Sonate pour deux pianos et percussion »

Fin de la guerre d'Espagne, début de la deuxième guerre mondiale.

Bartok, « Concerto pour orchestre »

Stravinsky, « Symphonie en trois mouvements ». Mort de Paul Valéry.
Fin de la deuxième guerre mondiale.

Discographie

ÉTABLIE ET COMMENTÉE
PAR MARCEL MARNAT

La discographie des compositeurs ibériques reste étonnamment étriquée et les trop rares enregistrements de Manuel de Falla recommandables incitent, comme par le passé, à élargir cet aperçu discographique à tous les musiciens cités (parfois sans aménité) dans cet ouvrage. Ce recensement de ce qui doit figurer dans une discothèque s'ouvrant à la musique classique d'Espagne depuis 1880 tient compte de tous les disques régulièrement disponibles en France au 1ᵉʳ janvier 1980.

MÉLODIES POPULAIRES. ZARZUELAS

Peu de récitals homogènes ne versant pas dans quelque effet caricatural. A cet égard le panorama le plus expressif et le plus évocateur de la chanson traditionnelle espagnole reste *Paseando por España*, gravure rajeunie d'une séance d'enregistrement où l'étonnante présence de Germaine Montero fait passer sur une justesse approximative (CDM). Les tentatives analogues proposées par des cantatrices professionnelles ont toutes sombré dans l'ennui (Caballé, Los Angeles) ou ont achoppé sur des accompagnements trop sophistiqués (Teresa Berganza). L'art malicieux de la Zarzuela est encore plus défiguré dans les disques de Caballé, Domingo, Carreras ou Vittoria de Los Angeles mais la situation a été sauvée par Teresa Berganza dont le génie éclate au point d'animer un chef beaucoup moins probant (E. G. Asensio) lorsqu'il officie seul (2 d. Ensayo. Le premier paru, ZL 501 restant très supérieur au second ZL 505). Au même chef nous devons, en effet, deux disques de *Préludes et Intermèdes de Zarzuelas* dont seul le premier (ZL 503) est recommandable tout en paraissant bien timide chaque fois qu'il recoupe une réalisation proprement historique : *l'Anthologie de la Zarzuela* qu'Igor Markevitch s'est plu à enregistrer à Madrid (2 d. économiques Philips) avec des chanteurs ayant la verve nécessaire et surtout un chic et une conviction contagieuse qui ont assuré une audience internationale à ce répertoire jusqu'alors estimé local (Barbieri, Breton, qui fut le maître de Pablo Casals, Chapi, Jimenez... Orchestre de la Radio-Télévision espagnole).

ALBENIZ ET GRANADOS

– La situation discographique d'Albeniz est d'autant plus critique qu'il est représenté par une forte proportion de transcriptions pour guitare toujours amenuisantes. Les pièces mineures, dispersées dans nombre de récitals, ne sauraient, non plus, le représenter véritablement et moins encore les orchestrations qu'on a prétendu leur imposer (on sait que Ravel y avait renoncé) : à titre documentaire, le mieux que l'on puisse en faire est reflété par un disque de Frühbeck de Burgos comportant la *Suite espagnole* *n°* I et « Cordoba » des *Chants d'Espagne* (Decca). Il n'y a plus de gravure disponible d'*Azulejos*. Esteban Sanchez semble pourtant entreprendre un enregistrement systématique de l'essentiel et nous a proposé déjà : *España, Cordoba, Navarra* et surtout *La Vega*, la *Sonate* et les *Souvenirs d'Espagne* (disques séparés Ensayo).
L'œuvre indispensable n'en est pas moins *Iberia* dont la situation discographique est loin d'être définitive. L'enregistrement passionnant de Michel Block est peut-être le meilleur mais est difficile à trouver (VSM), celui d'Helffer a l'avantage d'être en catégorie économique (Musidisc). Par deux fois en une quinzaine d'années (Erato économique puis Decca, ce dernier enregistrement affublé d'un commentaire honteux, repris d'un ouvrage de l'entre-deux guerres!) Alicia de Larrocha a battu tous les records d'afféterie, tirant cette série d'eaux-fortes vers le chromo touristique. A ce contre-sens radical, on préférera évidemment l'exécution un peu « serrée » d'Esteban Sanchez (2 d. Ensayo), froide mais sans chichis ni aucun de ces « ibérismes » de bazar qu'Albeniz avait tenu à transcender. L'interprétation suprême reste ainsi, par-delà les années, celle aujourd'hui inaccessible de Leopoldo Querol, en passe d'être réédité, selon les optimistes.
– Granados, depuis la suppression de la version opéra de ses *Goyescas* (Decca), serait encore plus mal partagé si nous ne trouvions une *Intégrale de son œuvre pour piano* (Marylène Dosse, 2 albums de 3 d. économiques, Vox) fort convenable, très stricte et, par là même, manquant un rien de folie dans *Goyescas*. En ces derniers, Alicia de Larrocha, tellement irritante dans Albeniz, semble insurpassable, mêlant le chic à la passion, l'imagination à la rigueur, réussite exemplaire, supérieure encore dans sa version ancienne (2 d. économiques Erato, avec *Scènes Romantiques*), inutilement refaite, en 1978, pour Decca. Cette complicité idéale d'un style et d'une interprète se retrouve dans l'intégrale que Larrocha nous a donnée des célèbres *Douze Danses Espagnoles* (Erato économique) où elle retrouve l'élégance presque malicieuse de Granados lui-même (ré-enregistrements de cartons de pianos mécaniques, actuellement hors catalogue). Des onze exquises *Tonadillas*, la version la moins amputée (manquent 3 et 10) est celle, divinement incarnée, de Vittoria de Los Angeles accompagnée par Gonzalo Soriano (VSM, en complément d'un enregistrement inégalé de *la Vie Brève* de Manuel de Falla 2 d.)

MANUEL DE FALLA

L'Amour sorcier, œuvre la plus enregistrée de Manuel de Falla, préside à une rare hécatombe : Bumbry-Maazel, Los Angeles-Giulini, Rivas-Benzi (Philips) tous trois complétés par les « suites » tirées du *Tricorne* désormais injustifiables au disque (l'intégrale s'impose, au même titre que celle de l'*Amour sorcier*) s'enlisent dans la routine ou le chichi. Marilyn-Horne-Bernstein (avec Ravel : « Schéhérazade », CBS) prennent, au moins, des risques « expressionnistes » qui, par-delà le « bon goût » ne sauraient laisser indifférent. Ils rejoignent, à ce titre, Berganza-Navarro (DGG) malheureusement inscrits en quatrième face d'une *Vie brève* catastrophique. En attendant la réédition de la gravure (mono, excellente) historique de Freitas-Branco (avec Iñes Ravadeneira), une seule version rend actuellement sa physionomie à ce chef-d'œuvre : celle de Nati Mistral accompagnée par le Philharmonia dirigé par Frühbeck de Burgos

(Decca avec « Intermezzo » de Granados, « Pavane » et « Alborada » de Ravel). On ne saurait enfin ignorer les « Trois Danses », transcrites pour piano, par Ricardo Vines (mono 1929. Voir ci-dessous : Chansons). De *l'Atlantide*, l'enregistrement s'est fait longuement attendre mais il tire le meilleur parti des résultats de cette entreprise délicate, confiant à des solistes espagnols adéquats, à des chœurs remarquables et à l'Orchestre national d'Espagne l'interprétation très étudiée de Rafael Frühbeck de Burgos (créateur de la version « oratorio », définitive, enregistrée ici : 2 d. VSM).

Des *Chansons populaires espagnoles*, le ton semble inexplicablement perdu. Récemment Montserrat Caballé (Decca) en donnait une interprétation « digne d'une chanteuse allemande ». Teresa Berganza, elle-même, jadis interprète d'une gravure péremptoire (avec Felix Lavilla, Decca) fait-elle mieux lorsqu'elle a l'idée saugrenue de chanter cela avec un guitariste aussi soporifique que Narciso Yepes (DGG) ? Trop convention-nellement distinguée pour être véritablement « populaire », Vittoria de Los Angeles n'est guère plus convaincante mais un timbre miraculeux justifiera toutes les adhésions. Reste que les leçons, excessives mais adaptables, laissées par Conchita Supervia (Frank Marshall piano, inaccessible en France) et surtout Maria Barrientos (avec Falla au piano, VSM) sont aujourd'hui perdues. L'album intitulé *Falla, ses amis et ses interprètes* nous restitue aujourd'hui Maria Barrientos, en fin de carrière, mais autrement « engagée » que toutes ses héritières actuelles !

Chef-d'œuvre quasi inapprochable, le *Concerto pour clavecin* s'impose lentement. Galling (Vox), Puyana-Mackerras (Philips), Kipnis-Boulez (CBS, avec *Le Tricorne*) et Achucarro-Mata ont effacé les réussites moins soutenues de Veyron-Lacroix-Argenta ou de Soriano-Frühbeck. Achucarro n'est pas le plus impératif mais il offre l'œuvre à la fois au clavecin et au piano (version admise par Falla mais peu probante), inscrivant cette double incarnation au dos de la meilleure version actuelle des *Nuits dans les jardins d'Espagne* (London Symphony, dir. Eduardo Mata, RCA). Du *Concerto*, l'approche actuellement la plus éloquente reste celle de Puyana mais il faut absolument connaître le disque de Falla lui-même (dans l'album précité), si surprenant par ce qu'il garde de populaire et par sa paradoxale sensualité (VSM).

Chef-d'œuvre pianistique de Falla, la *Fantasia Betica* est d'une force irrésistible sous les doigts de Gyorgy Sandor (avec bon *Concerto* par Galling et d'excellentes *Nuits*, Vox), réussite talonnée de près par Teresa Llacuna en son intégrale de l'œuvre pour piano (VSM). Achucarro et Larrocha, dans le cadre d'intégrales du piano de Falla, y sont moins captivants que Esteban Sanchez (Ensayo), mais la palme reste à l'élève de Bartok !

Les *Nuits dans les jardins d'Espagne* sont souvent enregistrées mais la gravure la mieux venue est aujourd'hui celle de Joachin Achucarro avec le London Symphony dirigé par Eduardo Mata (avec *Concerto*, joué au clavecin puis au piano, RCA). En seconde position, Soriano-Frühbeck, Sandor-de Froment, Clara Haskil-Markevitch et Panenka-Perdrotti continuent d'éclipser les prestations d'Entremont, Larrocha et Rubinstein : les couplages seuls peuvent guider le choix.

Les autrefois populaires *Quatre pièces espagnoles* sont aujourd'hui délaissées au profit de la véhémente *Fantaisia Betica* : on les récupérera dans une intégrale du piano, celle d'Esteban Sanchez, plus complète, étant la plus intéressante, devant celle de Teresa Llacuna, peut-être plus intense (VSM). On peut se contenter de « Aragonese » et « Cubana » telles que les interprétait Manuel de Falla lui-même, en 1913 (dans album « Falla, ses amis et ses interprètes », VSM).

Chef-d'œuvre absolu que *les Tréteaux de Maître Pierre*, chanceuse merveille... dont les disques disparaissent vite. Si nous n'avons oublié ni Argenta, ni Toldra, ni Freitas Branco, la récente réédition de l'enregistrement (1953) de Ernesto Halffter (album « Falla, ses amis et interprètes », VSM), mono qui semble d'hier, règle définitivement la question en remettant sur le marché la version à la fois la plus éclatante et la plus poétique qui en fut jamais proposée.

De *Psyché* et du *Soneto a Cordoba*, les interprétations appliquées de Vittoria de Los Angeles laissent la place, malgré leur stéréo, à celles de Maria Barrientos (acc. Falla) et de Leila ben Sedira incluses dans « Falla, ses amis et ses interprètes » (VSM).

Résumé de tout avant la condensation des *Tréteaux* puis du *Concerto*, le *Tricorne* surgit comme l'une des plus grandes œuvres du XXe siècle, confondant l'humour et l'énergie, la profondeur et le pittoresque. Ce pendant espagnol de « Petrouchka » est spécialement chanceux au disque et il est difficile de choisir entre la version « monumentale » de Boulez (avec *Concerto*, CBS), celles, surchauffées, d'Ansermet (le créateur de l'œuvre, sans doute son meilleur disque, Decca) ou d'Ozawa, très inventif et plein d'esprit (le petit son sec de la DGG convient à l'œuvre), ces deux enregistrements ayant eu recours à la voix de Teresa Berganza. Mais peut-être rêve-t-on, dans une même version, d'avoir l'esprit, la vigueur et une incomparable poésie « nocturne » ? On choisira, dès lors, sans hésiter, la version Berganza et le timbre magique de Vittoria de Los Angeles et l'interprétation désormais historique de Frühbeck de Burgos (VSM). Dans l'album « Falla, ses amis et ses interprètes » figure « la 2e Suite » d'orchestre. On ne saurait, de nos jours, se contenter de ces extraits mais l'interprétation nerveuse et désordonnée à souhait qu'en donne Fernandez Arbos est un document passionnant sur la manière de l'époque (1928) et sur celui qui s'était risqué à orchestrer l' « Iberia » d'Albeniz...

Première œuvre d'importance mais très inégale, *la Vie brève* a inspiré deux réalisations diamétralement opposées. Récente, la version Berganza-Carreras-Garcia Navarro, réalisée à Londres pour l'allemande DGG, relève de l'Espagne pour touristes amateurs de chromos : on se demande comment la sublimation qu'inspirait Falla a pu susciter une telle vulgarité. Berganza elle-même désespère et toute la seconde partie de l'œuvre en devient hilarante. Au contraire réalisé avec beaucoup de soin dans une perspective quasi « oratorio », l'enregistrement de Frühbeck de Burgos magnifie l'œuvre de façon inespérée, en transcende le schématisme dramatique, aboutissant à une poésie éblouie puis macabre d'un effet saisissant. Vittoria de Los Angeles, au sommet de ses moyens, y est la voix même de cet idéal. Chœurs, orchestre et prise de son, sans rides, parachèvent une réussite aujourd'hui historique.

MANUEL DE FALLA SES AMIS ET SES INTERPRÈTES

Rassemblant de précieuses archives, Pathé Marconi-VSM vient de réaliser un album mono de deux disques qui s'impose au premier rang de la discographie Manuel de Falla, et qui, outre ce que nous en avons cité, propose « Chanson du feu follet », « Danse de la terreur », « Récit du pécheur » et « Danse rituelle du feu », transcrits par Falla (et non plus par Rubinstein), joués de façon inégalée par Ricardo Viñes (1929). Avec un *Amour sorcier* également historique dirigé par Freitas Branco, un *Concerto* joué par sa commanditaire Wanda Landowska et dirigé par Manuel de Falla et les *Hommages* (direction Halffter) qui devraient faire l'objet d'une réédition prochaine, plus rien ne manquerait de Manuel de Falla : on en vient à rêver d'une « Intégrale Falla » qui en quelque huit ou neuf disques seulement honorerait grandement un éditeur spécialement fidèle à cette musique exemplaire.

Catalogue de l'œuvre de Falla

A. Compositions de l'enfance (premières expériences).

Quatuor pour cordes et piano (Andante et Scherzo).
Mélodie pour violoncelle et piano (Lied).
Quintette pour violon, alto, violoncelle, flûte et piano inspiré d'un chant du poème de Mistral, « Mireio ».
Furent exécutées dans des réunions, peut-être dans quelque concert. Les partitions ont été perdues.

B. Compositions de l'adolescence (premières œuvres).

Valse-Caprice pour piano.
Nocturne pour piano.
Sérénade andalouse pour piano.
Les trois furent éditées en 1940 par l' « Union Musicale espagnole », et, auparavant, par un éditeur des États-Unis.
Les Amours de la Inès, zarzuela sur un livret de Emilio Dugi, en un acte et deux tableaux. Composée aux environs de 1902 et jouée pour la première fois le 12 avril 1902 au Teatro Comico par la Compagnie de Loreta Prado et Enrique Chicote. Inédit, le manuscrit est conservé aux archives de la « Société des Auteurs » d'Espagne.
Le Clairon du régiment (El corneta de ordenes), zarzuela en 3 actes. On n'a pas d'autres renseignements. Ne fut ni représenté ni édité.
La Croix de Malte, écrit probablement en collaboration avec Amadeo Viñes, comme le précédent. Pas d'autres renseignements — Ne fut ni joué, ni édité.
La Casa de tocame Roque — Livret d'auteur inconnu — Ni joué, ni édité.
Ces quatre zarzuelas furent composées entre 1900 et 1902.
Chanson pour piano. Inédite. 1re audition par Gerardo Diego dans un concert-conférence. Écrite en 1900.
Tes petits yeux noirs (Tus ojillos negros) chanson andalouse pour chant et piano. Composée entre 1900 et 1902. Texte de Cristobal de Castro. Dédiée au marquis et à la marquise

de Alta Villa. 1re audition à une date imprécise. Gravée par Hipolito Lazaro. Éditée par l'Union Musicale Espagnole (sans date).

Allegro de concert, pour piano. Composé à la même époque. 1re audition donnée par Falla le 4-5-1905 à l'Athénée de Madrid. Inédit.

C. Compositions de la maturité.

PÉRIODE D'ASSIMILATION

La vie brève, opéra en un acte. Commencé au milieu de 1904 et terminé le 31-3-1905. Livret de Carlos Fernandez Shaw. Dédié à Madame Ada Adiny-Milliet, à Monsieur Paul Milliet (A la mémoire de Carlos Fernandez Shaw). 1re représentation le 1-4-1913 au Casino Municipal de Nice sous la direction de M. de Farconnet. Édité par les Éd. Max Eschig, 1913.

Quatre pièces espagnoles pour piano. Composées entre 1907 et 1908, à Madrid et à Paris. Dédiées à Isaac Albeniz. 1re audition donnée par Ricardo Viñes en novembre 1908 à Paris, dans un concert de la « Société Nationale de Musique ». Éditées par Durand et Cie, 1908 et ensuite par l'Union Musical Española.

Trois mélodies pour chant et piano, sur des poèmes de Théophile Gautier. Composées en 1909. Dédiées à Madame Adiny-Milliet, à Madame R. Brooks, à Madame Claude Debussy. 1re audition à la fin de 1910, avec Falla au piano, à Paris, dans un concert de la Société Musicale Indépendante. Éditées par Rouart Lerolle et Cie, 1910.

Nuits dans les jardins d'Espagne, pour piano et orchestre. Composées à Paris et à Barcelone, entre 1911 et juillet 1915. Dédiées à Ricardo Viñes. 1re audition le 9-4-1916 par l'orchestre symphonique de Madrid sous la direction d'Enrique Fernandez Arbos, et le pianiste José Cubiles. Éditées par Max Eschig en 1922.

PÉRIODE ANDALOUSE

Sept chansons espagnoles pour chant et piano. Commencées au début de 1914 sur la demande d'une cantatrice et terminées en 1918, avant le retour en Espagne. Textes populaires anonymes. Dédiées à Madame Ida Godebska. 1re audition donnée par Luisa Vela et l'auteur le 14-1-1915 à l'Athénée de Madrid. Éditées par Max Eschig, 1922.

Prière des mères qui portent leurs enfants dans les bras (Oración de las madres que tienen a sus hijos en brazos), pour chant et piano. Texte de Gregorio Martinez Sierra. Composée en décembre 1914. Inédite.

Musique de scène pour l'Othello de Shakespeare, écrite en mai et juin 1915. Inédite, exécutée à Barcelone.

L'Amour sorcier (El Amor brujo), gitanerie musicale, écrite entre déc. 1914 et avril 1915 sur la demande de Pastora Imperio, sur un livret de Martinez Sierra. 1re aud. le 15-4-1915 au Teatro Lara de Madrid.

L'Amour sorcier, ballet, version définitive pour orchestre symphonique avec modifications par rapport à l'œuvre antérieure, 1re audition le 28-3-1916 donnée par l'orchestre philharmonique de Madrid dir. par Bartolome Perez Casas. Édité par J. and W. Chester Ltd. en 1921.

Le Magistrat et la meunière (El Corregidor y la molinera), mimodrame sur un livret de Martinez Sierra, composé entre juillet 1916 et avril 1917, 1re aud. le 7-4-1917 par un orchestre symphonique dirigé par Joaquin Turina au Teatro Eslava de Madrid.

Feu follet (Fuego fatuo), opéra en 3 actes sur une musique de Chopin, argument de G. Martinez Sierra. Composé entre mai et septembre 1918. Inédit. Non représenté. Le manuscrit est en la possession de M. German de Falla.

Fantaisie bétique, pour piano, composée entre janvier et mai 1919 sur la commande d'Arthur Rubinstein à qui elle est dédiée. 1re aud. non datée. Éditée par Chester, 1922.

Le Tricorne (*El sombrero de tres picos*), ballet, modification de *Le Magistrat et la Meunière*, selon le livret de Sierra d'après Alarcon (développé), pour orchestre symphonique. Composé en 1918 et jusqu'à juillet 1919. Dédié à Leopoldo Matos. 1re audition par les Ballets Russes (dir. Ansermet, avec Diaghilev, Karsavina, etc.) à Londres, le 22-7-1919.

Les Tréteaux de Maître Pierre (*El Retablo de Maese Pedro*), adaptation musicale d'un épisode de Don Quichotte de Cervantes, composée en 1919 et jusqu'en juin 1922 à Madrid et à Grenade sur une commande de la princesse Edmond de Polignac. 1re aud. sans représentation à Séville, donnée par la Société sévillane de Concerts, le 23-3-1923 et en représentation privée à Paris, à l'Hôtel de Polignac le 25-6-1923. Édité par Chester et Eschig en 1923.

Hommage pour le tombeau de Claude Debussy, pour guitare, transcrit ensuite par l'auteur pour piano ; composé en décembre 1920, sur commande de « La Revue Musicale ». Édité par Chester en 1921 et publié auparavant dans la Revue.

Psyché, pour chant et flûte, harpe, violon, alto et violoncelle, sur un poème de Georges-Jean Aubry. Composé à la demande de celui-ci en 1924 à Grenade. 1re audition à Barcelone en décembre 1924 donnée par Concepcion Badia. Édité par Chester, 1926.

Concerto pour clavecin (ou pianoforte) flûte, hautbois, clarinette, violon et violoncelle, sur commande de Wanda Landowska à qui il est dédié. 1re aud. par la claveciniste et l'orchestre Paul Casals sous la direction de Falla à Barcelone, dans un festival de l'Association de Musique de chambre le 5-11-1926. Composé entre 1923 et 1926. Édité par Eschig en 1928.

Sonnet à Cordoue, sur un poème de Luis de Gongora, composé à la demande de Gerardo Diego et Federico Garcia Lorca, pour les cérémonies du tricentenaire de la mort du poète espagnol, entre octobre 1926 et avril 1927. 1re audition à Paris, le 14-5-27 en même temps que le *Concerto*. Pour chant et harpe. Édité par Oxford University Press en 1932.

Fanfare (titre original en français) sur le nom d'Arbos. Composée à la demande d'une commission de musiciens pour le soixante dixième anniversaire du chef d'orchestre entre décembre 1933 et avril 1934. 1re audition par Enrique Fernandez Arbos et l'orchestre symphonique de Madrid au Teatro Calderon en avril 1934.

Pour le tombeau de Paul Dukas, pour piano, écrit en décembre 1935 à la demande de « La Revue Musicale », qui le publie dans un encart du numéro de mai-juin 1936.

Hommages, suite pour orchestre comprenant l'*Hommage à Debussy* orchestré, l'*Hommage à Dukas* et la *Fanfare* sur le nom d'Arbos, plus une pièce nouvelle, *Pedrelliana*, sur des thèmes de « La Célestine » et quelques éléments de liaison. 1re audition au Teatro Colon de Buenos-Aires, le 18-11-39 sous la direction de Falla. Éditée par Ricordi en 1953.

L'Atlantide, cantate scénique sur un livret adapté du poème de Verdaguer. Inachevé. Falla y a travaillé entre 1927 et 1946 avec de nombreuses interruptions. L'achèvement a été confié au compositeur Ernesto Halffter.

D. Transcriptions.

« Ave Maria » et « Sanctus » de Victoria, pour chœur à quatre voix.

« Symphonie » (ouverture) de « Il barbiere di Siviglia » de Rossini, pour orchestre. Plusieurs chœurs de l' « Amphiparnasse » de Vecchi.

« Ballade de Majorque », chœur mixte à quatre voix sur des fragments de la Ballade en fa de Chopin.

« Hymne pour les révolutionnaires espagnols », sur un thème de Pedrell, pour chœur à l'unisson.

Éléments bibliographiques

Les rares travaux sur la vie et l'œuvre de Falla sont des monographies de peu d'intérêt musicologique ou historique.

On trouvera une très vivante esquisse, jusqu'à l'année 1930, dans le livre (épuisé) de Roland Manuel : *Manuel de Falla* (1930).

Pour la période de Mallorca, le livre de Juan Maria Thomas : *Manuel de Falla en la isla* (M. de F. dans l'île), Ediciones Capella Classica, Mallorca, 1947 — moins intelligent, est cependant un travail bien documenté.

Parmi les essais qui laissent de côté l'aspect biographique, il vaut la peine de consulter, malgré certains côtés discutables, le livre de J. B. Trend : *Manuel de Falla and Spanish Music* (New York, 1929) et l'article d'Edgard Istel : *Manuel de Falla* (The Musical Quarterly, vol. 12, n° 4, octobre 1926, New York).

Presque toute la bibliographie en langue espagnole est médiocre. Cependant, pour l'histoire musicale et artistique de l'Espagne contemporaine de Falla, il existe de nombreux livres, brochures et articles indispensables. Tout particulièrement, cela va sans dire, les écrits euphoriques de Felipe Pedrell, surtout son manifeste « Por nuestra Musica » (Barcelone, 1891), dont il existe une traduction française publiée par la Librairie Fischbacher, à Paris, en 1893, ainsi que les critiques de Rafael Mitjana.

Illustrations

Viollet : pp. 2, 29, 60, 65, 136, 141, 148. Bibliothèque Nationale (éditions du Seuil) : pp. 4, 6, 7, 37, 45, 46, 48, 49, 51, 52, 53, 55, 56, 75, 77, 88, 96, 98, 102, 103, 107, 126, 127, 133, 140, 149, 174, 175, 176, 177, 178, 179, 180, 181, 182, 183, 190. Boudot-Lamotte : pp. 15, 24, 112, 117. Éditions du Seuil : pp. 16, 33, 58, 61, 85, 89, 115, 119, 134, 135, 137, 156, 158, 159, 166. Portillo, Madrid : pp. 19, 59, 122, 131, 139, 145, 2/3 de cv. Archives la danse : p. 139. Opéra : p. 38. Rigal : p. 79. André Martin : p. 92. Bibliothèque de l'Opéra (éditions du Seuil) : pp. 90, 124, 125, 155. Viollon : p. 128. Dominique Aubier : p. 130. Adelman : pp. 71, 150, 167.
Les vignettes des débuts de chapitres sont des tarots espagnols du XIXe siècle.

CE LIVRE, LE TREIZIÈME DE LA COLLECTION « SOLFÈGES » DIRIGÉE PAR FRANÇOIS-RÉGIS BASTIDE, A ÉTÉ RÉALISÉ PAR DOMINIQUE LYON-CAEN.

Table

collections microcosme
PETITE PLANÈTE

PETITE PLANÈTE / VILLES

LE RAYON DE LA SCIENCE

SOLFÈGES

ACHEVÉ D'IMPRIMER EN 1980 PAR L'IMPRIMERIE TARDY QUERCY S.A. - BOURGES
D. L. 4ᵉ trim. 1959. - Nᵒ 1042.3 (9586)